하루 10분 서술형/문장제 학습지

수학 독해

E4

대응과 통계

초5~초6

Creative to Math

수학독해 : 수학을 스스로 읽고 해결하다

객관식이나 간단한 단답형 문제는 자신 있는데 긴 문장이나 풀이 과정을 쓰라는 문제는 어려워하는 아이들이 있어요. 빠르고 정확하게 연산하고 교과 응용문제까지도 곧잘 풀어내지만, 문제 속 상황이 약간만 복잡해지면 문제를 풀려고도 하지 않는 아이들도 많아요. 이러한 아이들에게 부족한 것은 연산 능력이나 문제 해결력보다는 독해력과 표현력입니다. 특히 수학적 텍스트를 이해하고 표현하는 능력, 즉 수학 독해력이지요.

요즘 아이들의 독해력이 약해진 가장 큰 이유는 과거에 비해 이야기를 만나는 방식이 다양해졌기 때문이에요. 예전에는 대부분 말이나 글로써만 이야기를 접했어요. 텍스트 위주로 여러 가지 사건을 간접 체험하고, 머릿 속으로 상황을 그려내는 훈련이 자연스럽게 이루어졌지요. 반면 요즘 아이들은 글보다도 TV나 스마트폰 등 영상매체에 훨씬 빨리, 자주 노출되기에 글을 통해 상상을 할 필요가 점점 없어지게 되었습니다.

그렇다고 아이들에게 어렸을 때부터 영화나 애니메이션을 못 보게 하고 책만 읽게 하는 것은 바람직하지 않고, 가능하지도 않아요. 시각 매체는 그 자체로 많은 장점이 있기 때문에 지금의 아이들은 예전 세대에 비해 이미지에 대한 이해력과 적용력이 매우 뛰어나답니다. 문제는 아직까지 모든 학습과 평가 방식이 여전히 텍스트 위주이기 때문에 지금도 아이들에게 독해력이 중요하다는 점이에요. 그래서 저희는 영상 매체에는 익숙하지만 말이나 글에는 약한 아이들을 위한 새로운 수학 독해력 향상 프로그램인 씨투엠 수학독해를 기획하게 되었어요.

씨투엠 수학독해는 기존 문장제/서술형 교재들보다 더욱 쉽고 간단한 학습법을 보여주려 해요. 문제에 있는 문장과 표현 하나하나마다 따로 접근하여 아이들이 어려워하는 포인트를 찾고, 각 포인트마다 직관적인 활동을 통해 독해력과 표현력을 차근차근 끌어올리려고 합니다. 또한 문제 이해와 풀이 서술 과정을 단계별로 세세하게 나누어 문장제, 서술형 문제를 부담 없이 체계적으로 연습할 수 있어요. 새로운 문장제 학습법인 씨투엠 수학독해가 문장제 문제에 특히 어려움을 겪고 있거나 앞으로 서술형 문제를 좀 더 잘 대비하고 싶은 아이들에게 큰 도움이 될 것이라 자신합니다.

씨투엠 수학독해의 구성과 특징

- 매일 부담없이 2쪽씩, 하루 10분 문장제 학습
- 매주 5일간 단계별 활동, 6일차는 중요 문장제 확인학습
- 5회분의 진단평가로 테스트 및 복습

주차별 구성

일일학습

꼬마 수학자들의
간단한 팁과 함께
매일 새롭게 만나는
단계별 문장제 활동

확인학습

중요 문장제 활동을
다시 한번 확인하며
주차 학습 마무리

진단평가 구성

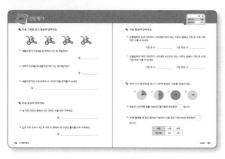

진단평가

4주 간의 문장제 학습에서 부족한 부분을
확인하고 복습하기 위한 자가 진단 테스트

이 책의 차례

1주차

규칙과 대응

두 양 사이의 관계(1)

❀ 다음 그림을 보고 물음에 답하세요.

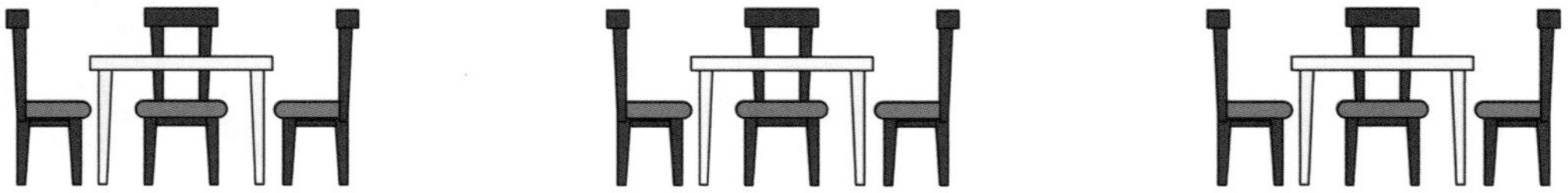

★ 탁자가 ③개일 때 필요한 의자의 수는 몇 개일까요?

답 : ___9개___

① 탁자가 10개일 때 필요한 의자의 수는 몇 개일까요?

답 : _____

② 의자가 60개일 때 필요한 탁자의 수는 몇 개일까요?

답 : _____

③ 의자의 수와 탁자의 수 사이의 대응 관계를 써 보세요.

답 : _____

한 양이 변할 때
다른 양이 그에 따라
변하는 관계를
대응 관계라고 해.

🌸 다음 그림을 보고 물음에 답하세요.

  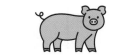

✪ 돼지가 ④마리일 때 돼지 다리의 수는 몇 개일까요?

답 : ___16개___

① 돼지가 9마리일 때 돼지 다리의 수는 몇 개일까요?

답 : _____

② 돼지 다리가 28개일 때 돼지는 몇 마리일까요?

답 : _____

③ 돼지의 수와 돼지 다리의 수 사이의 대응 관계를 써 보세요.

답 : _____

다음 그림을 보고 물음에 답하세요.

빨간색 사각형의 수와 파란색 사각형의 수가 어떻게 변하는지 표를 이용하여 알아보세요.

빨간색 사각형의 수(개)	1	2	3	4	…….
파란색 사각형의 수(개)	3	4	5	6	…….

빨간색 사각형의 수와 파란색 사각형의 수 사이의 대응 관계를 써 보세요.

답 : _____

①

도화지의 수와 누름 못의 수가 어떻게 변하는지 표를 이용하여 알아보세요.

도화지의 수(장)	2	3	4	5	…….
누름 못의 수(개)	3				…….

도화지의 수와 누름 못의 수 사이의 대응 관계를 써 보세요.

답 : _____

② 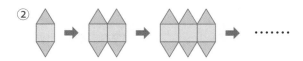 ➡ ……

사각형의 수와 삼각형의 수가 어떻게 변하는지 표를 이용하여 알아보세요.

사각형의 수(개)	1	2	3	4	……
삼각형의 수(개)	2				……

사각형의 수와 삼각형의 수 사이의 대응 관계를 써 보세요.

답 : _____

③

바구니의 수와 귤의 수가 어떻게 변하는지 표를 이용하여 알아보세요.

바구니의 수(개)	1	2	3	4	……
귤의 수(개)	5				……

바구니의 수와 귤의 수 사이의 대응 관계를 써 보세요.

답 : _____

🐝 승합차 한 대에 7명이 탈 수 있습니다. 물음에 답하세요.

① 승합차의 수와 탈 수 있는 사람의 수 사이의 대응 관계를 표를 이용하여 알아보세요.

승합차의 수(대)	1	2	3	4	5	⋯⋯
탈 수 있는 사람 수(명)	7	14				⋯⋯

② 알맞은 카드를 골라 표를 통해 알 수 있는 두 양 사이의 대응 관계를 식으로 나타내어 보세요.

+	−	×	÷	5	6	7	8

⇨ 승합차의 수 ☐ ☐ = 탈 수 있는 사람 수

또는 탈 수 있는 사람 수 ☐ ☐ = 승합차의 수

③ 승합차의 수를 ○, 탈 수 있는 사람의 수를 △라고 할 때, 두 양 사이의 대응 관계를 식으로 나타내면 ☐ × 7 = ☐ 또는 ☐ ÷ 7 = ☐ 입니다.

🐝 다음 물음에 답하세요.

✪ 미술 활동을 하기 위해 한 모둠에 찰흙을 ③덩이씩 나누어 주었습니다. 모둠의 수를 ◯, 찰흙의 수를 △라고 할 때, 두 양 사이의 대응 관계를 기호를 사용하여 식으로 나타내세요.

식 : _____ ◯×3=△ 또는 △÷3=◯ _____

① 개미의 다리는 6개입니다. 개미의 수를 ◇, 개미 다리의 수를 ◎라고 할 때, 두 양 사이의 대응 관계를 기호를 사용하여 식으로 나타내세요.

식 : _____

② 은수의 나이는 12살이고, 은수 언니의 나이는 15살입니다. 은수의 나이를 □, 은수 언니의 나이를 △라고 할 때, 두 양 사이의 대응 관계를 기호를 사용하여 식으로 나타내세요.

식 : _____

③ 2022년도에 찬민이의 나이는 13살입니다. 연도를 ◯, 찬민이의 나이를 ◇라고 할 때, 두 양 사이의 대응 관계를 기호를 사용하여 식으로 나타내세요.

식 : _____

다음 그림을 보고 물음에 답하세요.

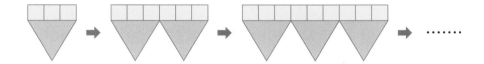

① 삼각형의 수와 사각형의 수 사이의 대응 관계를 표를 이용하여 알아보세요.

삼각형의 수	1	2		5		······
사각형의 수	3		9		24	······

② 삼각형의 수를 △, 사각형의 수를 □라고 할 때, 두 양 사이의 대응 관계를 식으로 나타내어 보세요.

식 : _____

③ 삼각형이 10개일 때 필요한 사각형의 수는 몇 개일까요?

답 : _____

④ 사각형이 36개일 때 필요한 삼각형의 수는 몇 개일까요?

답 : _____

🎨 다음 물음에 답하세요.

⭐ 색 테이프를 자른 횟수를 □, 도막의 수를 ◎라고 할 때, 두 양 사이의 대응 관계를 식으로 나타내고, 색 테이프가 ⑩도막일 때 색 테이프를 자른 횟수를 구해 보세요.

식 : ___□ +1=◎ 또는 ◎ -1=□___   답 : ___9번___

① 요구르트 한 묶음에는 요구르트가 5개씩입니다. 요구르트 묶음의 수를 △, 요구르트의 수를 ○라고 할 때, 두 양 사이의 대응 관계를 식으로 나타내고, 요구르트의 수가 35개일 때 요구르트 묶음의 수를 구해 보세요.

식 : _____   답 : _____

② 원 모양의 실을 그림과 같이 자르고 있습니다. 자른 횟수를 ○, 자른 후의 실의 개수를 ◇라고 할 때, 두 양 사이의 대응 관계를 식으로 나타내고, 자른 횟수가 13번일 때 자른 후의 실의 개수를 구해 보세요.

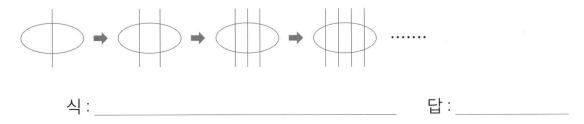

식 : _____   답 : _____

5일 대응 관계 상황

대응 관계를 나타낸 식을 보고 식에 알맞은 상황을 만들어 보세요.

☆ □×4=○

상황 : 자동차 바퀴의 수(○)는 자동차의 수(□)의 4배입니다.

① ◎×2=◇

상황 :

② ○+5=△

상황 :

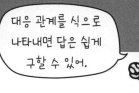

대응 관계를 식으로 나타내면 답은 쉽게 구할 수 있어.

🌸 대응 관계를 식으로 나타낸 후 답을 구하세요.

✪ 초콜릿 1개의 가격은 ⟨1300⟩원입니다. 초콜릿 ⟨7⟩개를 사는 데 필요한 금액은 얼마일까요?

식 : __(초콜릿의 개수)×1300=(필요한 금액)__   답 : __9100원__

  7 × 1300 = 9100

① 효진이네 샤워기에서 1분에 16 L의 물이 나옵니다. 12분 동안 나온 물의 양은 몇 L일까요?

식 : _____   답 : _____

② 1시간에 70 km의 속력으로 이동하는 자동차가 있습니다. 같은 속력으로 8시간 동안 이동하였을 때의 거리는 몇 km일까요?

식 : _____   답 : _____

③ 서울의 시각은 캐나다의 토론토 시각보다 14시간 빠릅니다. 토론토의 시각이 5월 4일 오전 8시일 때, 서울의 시각은 몇 월 며칠 몇 시일까요?

식 : _____   답 : _____

✎ 다음 그림을 보고 물음에 답하세요.

①

노란색 사각형의 수와 파란색 사각형의 수가 어떻게 변하는지 표를 이용하여 알아보세요.

노란색 사각형의 수(개)	1	2	3	4	………
파란색 사각형의 수(개)	2				………

노란색 사각형의 수와 파란색 사각형의 수 사이의 대응 관계를 써 보세요.

답 : _____

②

바구니의 수와 사과의 수가 어떻게 변하는지 표를 이용하여 알아보세요.

바구니의 수(개)	1	2	3	4	………
사과의 수(개)	4				………

바구니의 수와 사과의 수 사이의 대응 관계를 써 보세요.

답 : _____

✏️ 다음 물음에 답하세요.

③ 미술 활동을 하기 위해 한 사람에게 색종이를 5장씩 나누어 주었습니다. 사람의 수를 ○, 색종이의 수를 △라고 할 때, 두 양 사이의 대응 관계를 기호를 사용하여 식으로 나타내세요.

식 : _____

④ 여빈이의 나이는 12살이고 여빈이 오빠의 나이는 14살입니다. 여빈이의 나이를 □, 오빠의 나이를 ◎라고 할 때, 두 양 사이의 대응 관계를 기호를 사용하여 식으로 나타내세요.

식 : _____

✏️ 다음 물음에 답하세요.

⑤ 달걀 한 판에는 달걀이 30개씩입니다. 달걀 판 수를 △, 달걀의 수를 ○라고 할 때, 두 양 사이의 대응 관계를 식으로 나타내고, 달걀의 수가 270개일 때 달걀 판 수를 구해 보세요.

식 : _____   답 : _____

✎ 대응 관계를 식으로 나타낸 후 답을 구하세요.

⑥ 굵기가 일정한 통나무를 한 번 자르는 데 5분이 걸립니다. 쉬지 않고 8번 자르면 몇 분이 걸릴까요?

식 : _____   답 : _____

⑦ 공책 1권의 가격은 900원입니다. 공책 12권을 사는데 필요한 금액은 얼마일까요?

식 : _____   답 : _____

⑧ 1시간에 50 km의 속력으로 이동하는 지하철이 있습니다. 같은 속력으로 3시간 동안 이동하였을 때의 거리는 몇 km일까요?

식 : _____   답 : _____

⑨ 정호네 집에 있는 강아지는 태어난 지 7개월이 되었고, 고양이는 태어난 지 3개월이 되었습니다. 강아지가 태어난 지 20개월이 되었을 때, 고양이는 태어난 지 얼마가 되었을까요?

식 : _____   답 : _____

2주차

수의 범위

이상과 이하

🌸 알맞은 수를 찾아 ○표 하세요.

⭐ 7 이상인 수

| 1 | 2 | 3 | 4 | 5 | 6 | ⑦ | ⑧ | ⑨ |

① 15 이하인 수

| 11 | 12 | 13 | 14 | 15 | 16 | 17 | 18 | 19 |

② 28 이상인 수

| 24 | 25 | 26 | 27 | 28 | 29 | 30 | 31 | 32 |

③ 54 이하인 수

| 52 | 53 | 54 | 55 | 56 | 57 | 58 | 59 | 60 |

■ 보다 같거나 큰 수를 ■ 이상인 수, ■ 보다 같거나 작은 수를 ■ 이하인 수라고 해.

✿ 다음 물음에 답하세요.

⭐ 십의 자리 숫자가 3인 두 자리 수 중에서 ⟨37 이상인⟩ 수를 모두 구하세요.

(37 이상인 수) = (37보다 같거나 큰 수)   답 : _____ 37, 38, 39 _____

① 십의 자리 숫자가 6인 두 자리 수 중에서 64 이하인 수를 모두 구하세요.

답 : _____

② 두 자리 자연수 중에서 94 이상인 수를 모두 구하세요.

답 : _____

③ 십의 자리 숫자가 4인 두 자리 수 중에서 46 이하인 짝수를 모두 구하세요.

답 : _____

④ 십의 자리 숫자가 8인 두 자리 수 중에서 83 이상인 홀수를 모두 구하세요.

답 : _____

초과와 미만

 알맞은 수를 찾아 ○표 하세요.

⭐ 5 미만인 수

| ①1 | ②2 | ③3 | ④4 | 5 | 6 | 7 | 8 | 9 |

① 14 초과인 수

| 11 | 12 | 13 | 14 | 15 | 16 | 17 | 18 | 19 |

② 23 미만인 수

| 17 | 18 | 19 | 20 | 21 | 22 | 23 | 24 | 25 |

③ 47 초과인 수

| 42 | 43 | 44 | 45 | 46 | 47 | 48 | 49 | 50 |

보다 큰 수를 ■ 초과인 수, ■보다 작은 수를 ■ 미만인 수라고 해.

🎨 다음 물음에 답하세요.

✪ 십의 자리 숫자가 3인 두 자리 수 중에서 (35 미만)인 수를 모두 구하세요.

(35 미만인 수) = (35보다 작은 수)

답 : ___30, 31, 32, 33, 34___

① 십의 자리 숫자가 7인 두 자리 수 중에서 76 초과인 수를 모두 구하세요.

답 : _____

② 세 자리 수 중에서 104 미만인 수를 모두 구하세요.

답 : _____

③ 십의 자리 숫자가 5인 두 자리 수 중에서 53 초과인 홀수를 모두 구하세요.

답 : _____

④ 십의 자리 숫자가 9인 두 자리 수 중에서 96 미만인 짝수를 모두 구하세요.

답 : _____

🐝 다음 물음에 답하세요.

⭐ 주희네 반 학생들의 몸무게를 나타낸 표입니다. 몸무게가 (43 kg 이상)인 학생의 몸무게를 모두 써 보세요.

주희네 반 학생들의 몸무게

이름	주희	지훈	현지	정민
몸무게(kg)	42.9	45.0	43.2	43.0

(43 이상인 수) = (43보다 크거나 같은 수) 답 : __45.0kg, 43.2kg, 43.0kg__

① 금현이네 반 학생들이 한 달 동안 읽은 책 수를 나타낸 표입니다. 읽은 책이 6권 이하인 학생의 읽은 책 수를 모두 써 보세요.

금현이네 반 학생들이 읽은 책 수

이름	금현	지수	재현	예준
책 수(권)	7	6	3	4

답 : _____

② 정모네 반 학생들의 50 m 달리기 기록을 나타낸 표입니다. 50 m 달리기 기록이 10초 미만인 학생의 기록을 모두 써 보세요.

50 m 달리기 기록

이름	정모	승희	선형	효진
시간(초)	9.7	10.0	9.5	10.8

답 : _____

③ 한별이네 가족의 나이를 나타낸 표입니다. 나이가 14세 이상인 사람의 나이를 모두 써 보세요.

한별이네 가족의 나이

가족	한별	누나	형	동생
나이(세)	12	14	15	10

답 : _____

④ 어느 도시의 하루 동안의 최고 기온을 나타낸 표입니다. 최고 기온이 24℃ 초과인 날의 최고 기온을 모두 써 보세요.

최고 기온

날짜	1일	2일	3일	4일	5일	6일
최고 기온(℃)	24.6	23.5	24.0	23.9	24.2	25.0

답 : _____

⑤ 키가 130 cm 미만인 사람만 탑승할 수 있는 놀이 기구가 있습니다. 이 놀이 기구를 탈 수 있는 사람의 키를 모두 써 보세요.

사람들의 키

날짜	재현	정석	지은	소미	지영	영현
키(cm)	130.0	132.1	128.9	129.7	127.0	130.1

답 : _____

🎨 다음 물음에 답하세요.

⭐ 6 초과 11 미만인 자연수를 모두 써 보세요.

6보다 크고 11보다 작은 자연수를 모두 써 봅니다.

답 : __7, 8, 9, 10__

① 17 초과 25 미만인 자연수를 모두 써 보세요.

답 : _____

② 32 이상 38 미만인 자연수를 모두 써 보세요.

답 : _____

③ 50 초과 55 이하인 자연수를 모두 써 보세요.

답 : _____

④ 12 초과 ■ 미만인 자연수는 모두 4개일 때 ■에 알맞은 자연수를 써 보세요.

답 : _____

조건에 맞도록
수의 범위를 구해 보자.

🪴 다음 물음에 답하세요.

⭐ 미도네 반 학생들에게 연필을 한 자루씩 주려면 ⑧자루씩 한 묶음으로 판매하는 연필이 ③묶음 필요하다고 합니다. 미도네 반 학생은 <u>몇 명 이상 몇 명 이하</u>일까요?

최소 8자루씩 2묶음과 1자루가 필요할 경우 17명,
최대 8자루씩 3묶음이 모두 필요할 경우 24명

답 : <u>**17명 이상 24명 이하**</u>

① 인서네 반 학생들에게 사탕을 한 개씩 나누어 주려면 한 상자에 10개씩 묶여 있는 사탕을 4상자 사야 합니다. 인서네 반 학생은 몇 명 초과 몇 명 이하일까요?

답 : _____

② 창모네 학교 5학년 학생들이 체험 학습장에 가려면 25명이 탈 수 있는 버스가 4대 필요하다고 합니다. 창모네 학교 5학년 학생은 모두 몇 명 이상, 몇 명 이하일까요?

답 : _____

③ 어느 박물관의 엘리베이터는 정원이 12명입니다. 엘리베이터가 8번 올라가야 모든 입장객이 위층으로 이동할 수 있다고 합니다. 입장객은 몇 명 초과 몇 명 이하일까요?

답 : _____

5일 수의 범위 활용

🌸 문재네 반 학생의 여러 가지 체력을 조사하여 나타낸 표입니다. 표를 완성해 보세요.

⭐

15m 왕복 오래달리기

이름	기록(회)
문재	75
준기	58
찬원	79
경식	48

➡

기록(회)	이름
76 초과	찬원
58 초과 76 이하	문재
45 초과 58 이하	준기, 경식
45 이하	

① 윗몸 말아올리기

이름	기록(회)
문재	35
준기	26
찬원	25
경식	38

➡

기록(회)	이름
35 초과	
25 초과 35 이하	
18 초과 25 이하	
18 이하	

② 앉아 윗몸 앞으로 굽히기

이름	기록(cm)
문재	7.4
준기	11.5
찬원	7.8
경식	3.9

➡

기록(cm)	이름
11.5 이상	
7.8 이상 11.5 미만	
4.0 이상 7.8 미만	
4.0 미만	

③

반복 옆뛰기

이름	기록(회)
문재	28
준기	25
찬원	26
경식	33

➡

기록(회)	이름
32 초과	
29 초과 32 이하	
26 초과 29 이하	
26 이하	

④

제자리 멀리뛰기

이름	기록(cm)
문재	147
준기	146
찬원	161
경식	132

➡

기록(cm)	이름
161 이상	
147 이상 161 미만	
131 이상 147 미만	
131 미만	

⑤

50m 달리기

이름	기록(초)
문재	9.4
준기	9.1
찬원	10.2
경식	9.3

➡

기록(초)	이름
9.1 미만	
9.1 이상 10.2 미만	
10.2 이상 11.3 미만	
11.3 이상	

✎ 다음 물음에 답하세요.

① 십의 자리 숫자가 7인 두 자리 수 중에서 76 이상인 수를 모두 구하세요.

답 : _____

② 십의 자리 숫자가 2인 두 자리 수 중에서 24 이하인 짝수를 모두 구하세요.

답 : _____

③ 백의 자리 숫자가 3인 세 자리 수 중에서 303 미만인 수를 모두 구하세요.

답 : _____

④ 십의 자리 숫자가 8인 두 자리 수 중에서 85 초과인 홀수를 모두 구하세요.

답 : _____

✎ 다음 물음에 답하세요.

⑤ 주희네 반 학생들이 방학 동안 읽은 책 수를 나타낸 표입니다. 읽은 책이 7권 이상 인 학생의 읽은 책 수를 모두 써 보세요.

주희네 반 학생들이 읽은 책 수

이름	주희	소현	민규	준호
책 수(권)	6	7	5	8

답 : _____

⑥ 준형이네 모둠 학생들의 과학 점수를 나타낸 표입니다. 과학 점수가 92점 미만인 학생의 과학 점수를 모두 써 보세요.

준형이네 모둠 학생들의 과학 점수

이름	준형	유희	현재	다솔
점수(점)	94	89	91	92

답 : _____

✎ 다음 물음에 답하세요.

⑦ 8 초과 13 이하인 자연수를 모두 써 보세요.

답 : _____

⑧ 78 이상 82 미만인 자연수를 모두 써 보세요.

답 : _____

✎ 다음 물음에 답하세요.

⑨ 원영이네 반 학생들에게 공책을 한 권씩 주려면 10권씩 한 묶음으로 판매하는 공책이 3묶음 필요하다고 합니다. 원영이네 반 학생은 몇 명 이상 몇 명 이하일까요?

답 : _____

⑩ 유진이네 학교 5학년 학생들이 보트를 한 번씩 타려면 15명이 탈 수 있는 보트가 4대 필요하다고 합니다. 유진이네 학교 5학년 학생은 모두 몇 명 초과, 몇 명 이하일까요?

답 : _____

✎ 찬수네 반 학생의 여러 가지 체력을 조사하여 나타낸 표입니다. 표를 완성해 보세요.

⑪

악력 검사

이름	기록(kg)
찬수	19
정민	11
광일	12
민혁	30

➡

기록(kg)	이름
29 이상	
19 이상 29 미만	
12 이상 19 미만	
12 미만	

3주차

어림하기

🌸 올림하여 주어진 자리까지 나타내어 보세요.

⭐

수	십의 자리	백의 자리
438	440	500

①

수	십의 자리	백의 자리
649		

②

수	백의 자리	천의 자리
3261		

③

수	소수 둘째 자리	소수 첫째 자리
0.243		

④

수	소수 셋째 자리	소수 첫째 자리
0.8751		

✿ 다음 물음에 답하세요.

✪ <u>올림하여 십의 자리까지</u> 나타내면 ⑧⓪이 되는 자연수 중에서 가장 큰 수와 가장 작은 수를 써 보세요.

가장 큰 수 : _____80_____   가장 작은 수 : _____71_____

① 올림하여 십의 자리까지 나타내면 460이 되는 자연수 중에서 가장 큰 수와 가장 작은 수를 써 보세요.

가장 큰 수 : _____   가장 작은 수 : _____

② 올림하여 백의 자리까지 나타내면 3500이 되는 자연수 중에서 가장 큰 수와 가장 작은 수를 써 보세요.

가장 큰 수 : _____   가장 작은 수 : _____

③ 올림하여 십의 자리까지 나타내면 700이 되는 자연수 중에서 가장 큰 수와 가장 작은 수를 써 보세요.

가장 큰 수 : _____   가장 작은 수 : _____

🐢 버림하여 주어진 자리까지 나타내어 보세요.

⭐

수	십의 자리	백의 자리
673	670	600

①

수	십의 자리	백의 자리
835		

②

수	십의 자리	천의 자리
7419		

③

수	소수 둘째 자리	소수 첫째 자리
0.148		

④

수	소수 셋째 자리	소수 둘째 자리
0.5762		

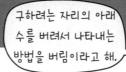

구하려는 자리의 아래 수를 버려서 나타내는 방법을 버림이라고 해.

다음 물음에 답하세요.

✿ 버림하여 <u>십의 자리까지 나타내면</u> ㊵이 되는 자연수 중에서 가장 큰 수와 가장 작은 수를 써 보세요.

가장 큰 수 : _____49_____   가장 작은 수 : _____40_____

① 버림하여 십의 자리까지 나타내면 920이 되는 자연수 중에서 가장 큰 수와 가장 작은 수를 써 보세요.

가장 큰 수 : _____   가장 작은 수 : _____

② 버림하여 백의 자리까지 나타내면 800이 되는 자연수 중에서 가장 큰 수와 가장 작은 수를 써 보세요.

가장 큰 수 : _____   가장 작은 수 : _____

③ 버림하여 백의 자리까지 나타내면 7000이 되는 자연수 중에서 가장 큰 수와 가장 작은 수를 써 보세요.

가장 큰 수 : _____   가장 작은 수 : _____

🐝 반올림하여 주어진 자리까지 나타내어 보세요.

수	십의 자리	백의 자리
894	890	900

①

수	십의 자리	백의 자리
327		

②

수	십의 자리	천의 자리
8424		

③

수	소수 둘째 자리	소수 첫째 자리
0.925		

④

수	소수 셋째 자리	소수 첫째 자리
2.6742		

🐝 다음 물음에 답하세요.

✪ 반올림하여 <u>십의 자리까지</u> 나타내면 ㉚이 되는 자연수 중에서 가장 큰 수와 가장 작은 수를 써 보세요.

가장 큰 수 : _____34_____   가장 작은 수 : _____25_____

① 반올림하여 백의 자리까지 나타내면 200이 되는 자연수 중에서 가장 큰 수와 가장 작은 수를 써 보세요.

가장 큰 수 : _____   가장 작은 수 : _____

② 반올림하여 십의 자리까지 나타내면 700이 되는 자연수 중에서 가장 큰 수와 가장 작은 수를 써 보세요.

가장 큰 수 : _____   가장 작은 수 : _____

③ 반올림하여 백의 자리까지 나타내면 8000이 되는 자연수 중에서 가장 큰 수와 가장 작은 수를 써 보세요.

가장 큰 수 : _____   가장 작은 수 : _____

🎨 다음 물음에 답하세요.

⭐ 야구장에 입장한 사람 수는 18235 명입니다. 야구장에 입장한 사람 수를 올림하여 천의 자리까지 나타내어 보세요.

답 : __19000명__

① 선희네 학교 학생 수는 1254명입니다. 학생 수를 올림하여 백의 자리까지 나타내어 보세요.

답 : _____

② 어느 마을에서 기르는 소의 수는 167429마리입니다. 소의 수를 버림하여 만의 자리까지 나타내어 보세요.

답 : _____

③ 어느 도시의 인구 수는 313542명입니다. 인구 수를 반올림하여 천의 자리까지 나타내어 보세요.

답 : _____

④ 이번 주 놀이공원 입장객 수는 47491명입니다. 입장객 수를 반올림하여 천의 자리까지 나타내어 보세요.

답 : _____

⑤ 어느 인형 공장에서 1주일 동안 인형을 9342개 생산하였습니다. 1주일 동안 생산한 인형 수를 버림하여 백의 자리까지 나타내어 보세요.

답 : _____

⑥ 철근 1m의 무게는 5293 g입니다. 철근의 무게를 올림하여 천의 자리까지 나타내어 보세요.

답 : _____

⑦ 어느 양봉장에 있는 꿀벌의 수는 255483마리입니다. 꿀벌의 수를 반올림하여 만의 자리까지 나타내어 보세요.

답 : _____

✿ 다음 물음에 답하세요.

⚙ ⓐ427ⓑ명의 학생이 모두 앉을 수 있도록 ⓒ10명씩 앉을 수 있는 의자를 놓으려고 합니다. 의자를 최소 몇 개 놓아야 할까요?

427 ÷ 10 = 42 … 7

모든 학생이 앉아야 하므로 올림을 이용합니다.

답 : _____43개_____

① 운동장에 897명의 학생들이 있습니다. 10명씩 한 모둠으로 만들려고 한다면 몇 모둠까지 만들 수 있을까요?

답 : _____

② 5학년 학생은 136명입니다. 한 사람에게 색 도화지를 1장씩 나누어 주려고 하는데 색 도화지는 10장씩 묶어서 판다고 합니다. 색 도화지는 모두 몇 장 사야 할까요?

답 : _____

③ 저금통에 12170원이 들어 있습니다. 이것을 1000원짜리 지폐로 바꾸면 몇 장까지 바꿀 수 있을까요?

답 : _____

④ 색연필의 길이를 재어 보았더니 18.4 cm였습니다. 이것을 1 cm 단위로 하여 가까운 곳의 눈금을 읽으면 약 몇 cm일까요?

답 : _____

⑤ 용재는 블록 12623개를 한 봉지에 100개씩 담아서 정리하려고 합니다. 100개씩 봉지에 담을 수 있는 블록은 몇 개일까요?

답 : _____

⑥ 한 변의 길이가 190 cm인 정사각형 모양의 꽃밭이 있습니다. 이 꽃밭의 둘레를 길이가 1 m인 끈으로 재면 약 몇 m가 될까요?

답 : _____

⑦ 진우는 가게에서 16300원짜리 모자를 한 개 샀습니다. 1000원짜리 지폐로만 모자값을 낸다면 최소 얼마를 내야 할까요?

답 : _____

✎ 다음 물음에 답하세요.

① 올림하여 십의 자리까지 나타내면 30이 되는 자연수 중에서 가장 큰 수와 가장 작은 수를 써 보세요.

가장 큰 수 : _____   가장 작은 수 : _____

② 올림하여 백의 자리까지 나타내면 5400이 되는 자연수 중에서 가장 큰 수와 가장 작은 수를 써 보세요.

가장 큰 수 : _____   가장 작은 수 : _____

③ 버림하여 십의 자리까지 나타내면 780이 되는 자연수 중에서 가장 큰 수와 가장 작은 수를 써 보세요.

가장 큰 수 : _____   가장 작은 수 : _____

④ 버림하여 백의 자리까지 나타내면 6000이 되는 자연수 중에서 가장 큰 수와 가장 작은 수를 써 보세요.

가장 큰 수 : _____   가장 작은 수 : _____

✎ 반올림하여 주어진 자리까지 나타내어 보세요.

⑤

수	십의 자리	백의 자리
382		

⑥

수	소수 둘째 자리	소수 첫째 자리
0.617		

✎ 다음 물음에 답하세요.

⑦ 반올림하여 백의 자리까지 나타내면 900이 되는 자연수 중에서 가장 큰 수와 가장 작은 수를 써 보세요.

가장 큰 수 : _____   가장 작은 수 : _____

⑧ 반올림하여 십의 자리까지 나타내면 300이 되는 자연수 중에서 가장 큰 수와 가장 작은 수를 써 보세요.

가장 큰 수 : _____   가장 작은 수 : _____

✎ 다음 물음에 답하세요.

⑨ 박물관에 입장한 사람 수는 14173명입니다. 박물관에 입장한 사람 수를 올림하여 천의 자리까지 나타내어 보세요.

답 : _____

⑩ 어느 농장에서 기르는 닭의 수는 5470마리입니다. 닭의 수를 반올림하여 백의 자리까지 나타내어 보세요.

답 : _____

✎ 다음 물음에 답하세요.

⑪ 283명의 학생이 모두 앉을 수 있도록 10명씩 앉을 수 있는 의자를 놓으려고 합니다. 의자를 최소 몇 개 놓아야 할까요?

답 : _____

⑫ 돼지저금통에 35120원이 들어 있습니다. 이것을 100원짜리 동전으로 바꾸면 몇 개까지 바꿀 수 있을까요?

답 : _____

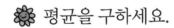

1일 평균 구하기(1)

🌸 평균을 구하세요.

⭐
23	25	26	26

(23 + 25 + 26 + 26) ÷ 4 = 25

답 : _____25_____

①
15	15	18	12

답 : _____

②
200	250	280	310

답 : _____

③
99	82	107	100	102

답 : _____

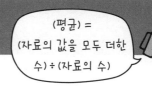

(평균) = (자료의 값을 모두 더한 수)÷(자료의 수)

🌸 알맞은 식을 쓰고 답을 구하세요.

⭐ 효민이네 모둠이 투호놀이에서 넣은 화살 수를 나타낸 표입니다. 넣은 화살 수의 평균을 구하세요.

효민이네 모둠이 넣은 화살 수

이름	효민	정미	한결	영호
넣은 화살 수(개)	4	8	6	2

식 : __(4+8+6+2)÷4=5__   답 : __5개__

① 어느 햄버거 가게의 4일 동안 햄버거 판매량을 나타낸 표입니다. 하루 동안 판매한 햄버거의 평균을 구하세요.

햄버거 판매량

요일	월	화	수	목
판매량(개)	44	65	59	64

식 : _____   답 : _____

② 지훈이의 타자 기록을 나타낸 표입니다. 타자 기록의 평균을 구하세요.

타자 기록

회	1회	2회	3회	4회	5회
타자 속도(타)	317	314	320	325	324

식 : _____   답 : _____

평균 구하기(2)

🐞 다음 물음에 답하세요.

✪ 수민이와 친구들이 연필의 길이를 재어 나타낸 표입니다. 길이가 평균보다 짧은 연필을 가진 친구는 몇 명일까요?

연필의 길이

이름	수민	예준	보현	재현	은채
연필의 길이(cm)	10	15	10	11	14

(평균) = (10 + 15 + 10 + 11 + 14) ÷ 5 = 12

답 : **3명**

① 어느 자동차 대리점의 월별 자동차 판매량을 나타낸 표입니다. 판매량이 평균보다 더 많이 팔린 월을 모두 써 보세요.

자동차 판매량

월	1월	2월	3월	4월	5월
판매량(대)	53	52	46	55	54

답 : _____

② 미주의 과목별 점수를 나타낸 표입니다. 점수가 평균보다 높은 과목은 몇 개일까요?

과목별 점수

과목	국어	수학	사회	과학	영어	실과
점수(점)	85	87	84	88	86	92

답 : _____

다음 물음에 답하세요.

✪ 어느 공연단의 배우 ⑥명의 나이의 합은 ⑭⑭세입니다. 공연단 배우 6명의 나이의 평균은 몇 세일까요?

144 ÷ 6 = 24

답 : __24세__

① 준구네 모둠 학생 4명의 몸무게의 합은 172 kg입니다. 준구네 모둠 학생 5명의 몸무게의 평균은 몇 kg일까요?

답 : _____

② 색 테이프 5개의 길이의 평균이 27 cm입니다. 색 테이프 5개의 길이의 합은 몇 cm일까요?

답 : _____

③ 정현이가 일주일 동안 매일 푼 수학 문제 수의 평균은 16개입니다. 정현이가 푼 수학 문제는 모두 몇 개일까요?

답 : _____

🐝 다음 물음에 답하세요.

⭐ 민지는 피아노 연습을 5일 동안 하루에 평균 40분씩 했습니다. 수요일에는 몇 분 동안 피아노 연습을 했을까요?

피아노 연습 시간

요일	월	화	수	목	금
시간(분)	35	30		50	45

(전체 시간) = 40 × 5 = 200 (분)

(수요일에 연습한 시간) = 200 − (35 + 30 + 50 + 45) = 40 (분)

답 : __40분__

① 어느 학교의 5학년 학급 학생 수를 나타낸 표입니다. 학급별 학생 수의 평균이 24명일 때 4반의 학생 수는 몇 명일까요?

5학년 학급 학생 수

학급	1반	2반	3반	4반
학생 수(명)	27	22	24	

답 : _____

② 문재의 100m 달리기 기록을 나타낸 표입니다. 문재의 100m 달리기 기록의 평균이 16초일 때 문재의 4회의 기록은 몇 초인지 구해 보세요.

200m 달리기 기록

회	1회	2회	3회	4회	5회
시간(분)	15	17	17		14

답 : _____

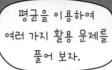

평균을 이용하여 여러 가지 활용 문제를 풀어 보자.

🐝 다음 물음에 답하세요.

⭐ 현중이는 일주일 동안 턱걸이를 ⟨77⟩회 했고, 주호는 ⟨5일⟩ 동안 ⟨60⟩회 했습니다. 하루 평균 턱걸이를 더 많이 한 사람은 누구일까요?

하루 평균 턱걸이 횟수는 현중이가 77 ÷ 7 = 11 (회),

주호가 60 ÷ 5 = 12 (회)입니다.

답 : __주호__

① 재민이의 4과목 점수의 합은 356점이고, 효정이의 3과목 점수의 합은 273점입니다. 점수의 평균이 더 높은 사람은 누구일까요?

답 : _____

② 도현이네 모둠 6명의 줄넘기 기록의 합은 300번이고, 예진이네 모둠 5명의 줄넘기 기록의 합은 260번입니다. 줄넘기 기록의 평균이 더 좋은 모둠을 써 보세요.

답 : _____

③ 현지와 민서가 요일별로 책을 읽은 시간을 나타낸 표입니다. 하루에 책을 읽은 시간이 더 많은 사람은 누구일까요?

현지가 책을 읽은 시간

요일	월	화	수	목
시간(분)	33	34	32	29

민서가 책을 읽은 시간

요일	월	수	금
시간(분)	30	35	34

답 : _____

🐸 알맞은 말을 찾아 □ 안에 알맞게 써넣으세요.

> 불가능하다   ~아닐 것 같다   반반이다
>
> ~일 것 같다   확실하다

✪ 오늘이 화요일인데 내일이 수요일일 가능성은 ' 확실하다 '입니다.

① 동전을 던졌을 때 숫자 면이 나올 가능성은 '   '입니다.

② 반 학생 10명 중 서로 생일이 같은 사람이 있을 가능성은 '   '
입니다.

③ 흰색 바둑돌만 들어 있는 상자에서 바둑돌 한 개를 꺼낼 때 검은색 바둑돌을 꺼낼
가능성은 '   '입니다.

🎨 여러 가지 회전판을 보고 □ 안에 알맞은 기호를 써넣으세요.

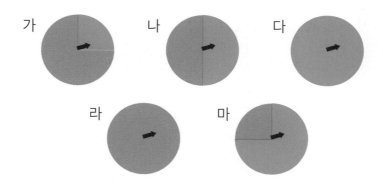

☆ 화살이 빨간색에 멈출 가능성이 확실한 회전판은 **다** 입니다.

① 화살이 빨간색에 멈출 가능성과 파란색에 멈출 가능성이 비슷한 회전판은 □

입니다.

② 가와 마 중 화살이 파란색에 멈출 가능성이 더 높은 회전판은 □ 입니다.

③ 40번 돌렸을 때 일이 일어날 가능성이 다음 표와 가장 비슷한 회전판은 □

입니다.

색깔	빨강	파랑
횟수(회)	29	11

✿ 다음이 일어날 가능성을 수로 표현해 보세요.

✪ 동전을 던지면 그림 면이 나올 것입니다.

답 : $\dfrac{1}{2}$

① 지금은 오후 2시이므로 1시간 후에는 4시가 될 것입니다.

답 : _____

② 은행에서 뽑은 대기 번호표의 번호가 홀수일 것입니다.

답 : _____

③ 1부터 6까지의 눈이 그려진 주사위를 한 번 굴릴 때 주사위의 눈의 수가 6 이하인 수가 나올 것입니다.

답 : _____

④ 빨간 구슬만 2개 들어 있는 주머니에서 구슬 1개를 꺼냈을 때 노란색 구슬이 나올 것입니다.

답 : _____

불가능하다 : 0
반반이다 : $\frac{1}{2}$
확실하다 : 1

✿ 다음 물음에 답하세요.

✪ 1부터 6까지의 눈이 그려진 주사위를 한 번 굴릴 때 주사위의 눈의 수가 홀수일 가능성을 수로 표현해 보세요.

1부터 6까지의 수 중에서 홀수는 1, 3, 5로 3개입니다.

답 : $\dfrac{1}{2}$

① 당첨 제비만 5개 들어 있는 제비뽑기 상자에서 제비 1개를 뽑을 때 당첨 제비일 가능성을 수로 표현해 보세요.

답 : _____

② 지갑 속에 1000원짜리 지폐 2장과 5000원짜리 지폐 2장이 있습니다. 지갑에서 지폐 한 장을 꺼낼 때 꺼낸 지폐가 5000원짜리일 가능성을 수로 표현해 보세요.

답 : _____

③ 초록색 구슬 4개, 파란색 구슬 4개가 들어 있는 주머니에서 구슬 1개를 꺼낼 때 보라색 구슬을 꺼낼 가능성을 수로 표현해 보세요.

답 : _____

확인학습

✏️ 알맞은 식을 쓰고 답을 구하세요.

① 어느 피자 가게의 4일 동안 피자 판매량을 나타낸 표입니다. 하루 동안 판매한 피자의 평균을 구하세요.

피자 판매량

요일	월	화	수	목
판매량(판)	27	34	23	36

식 : _____ 답 : _____

② 주현이네 가족의 몸무게를 나타낸 표입니다. 몸무게의 평균을 구해 보세요.

주현이네 가족의 몸무게

가족	아버지	어머니	오빠	주현	동생
몸무게(kg)	76	57	58	40	34

식 : _____ 답 : _____

✏️ 다음 물음에 답하세요.

③ 동훈이의 과목별 점수를 나타낸 표입니다. 점수가 평균보다 낮은 과목은 몇 개일까요?

과목별 점수

과목	국어	수학	사회	과학	영어
점수(점)	95	87	93	89	86

답 : _____

✎ 다음 물음에 답하세요.

④ 어느 아이돌 그룹의 멤버 6명의 나이의 합은 126세입니다. 멤버 6명의 나이의 평균은 몇 세일까요?

답 : _____

⑤ 리본 8개의 길이의 평균이 35 cm입니다. 리본 8개의 길이의 합은 몇 cm일까요?

답 : _____

✎ 다음 물음에 답하세요.

⑥ 은성이는 축구 연습을 4일 동안 하루에 평균 45분씩 했습니다. 화요일에는 몇 분 동안 축구 연습을 했을까요?

축구 연습 시간

요일	월	화	수	목
시간(분)	50		45	35

답 : _____

⑦ 별 관측 동아리 회원 5명의 나이의 평균이 12세입니다. 정효의 나이는 몇 세일까요?

별 관측 동아리 회원의 나이

이름	단비	세정	노현	이현	정효
나이(세)	12	11	10	13	

답 : _____

✎ 알맞은 말을 찾아 □ 안에 알맞게 써넣으세요.

> 불가능하다　　~아닐 것 같다　　반반이다
>
> ~일 것 같다　　확실하다

⑧ 13명의 사람 중 서로 태어난 달이 같은 사람이 있을 가능성은 '⬚' 입니다.

⑨ 1부터 6까지의 눈이 그려진 주사위를 한 번 던져 나온 눈의 수가 7일 가능성은 '⬚'입니다.

✎ 다음 물음에 답하세요.

⑩ 1부터 6까지의 눈이 있는 주사위 1개를 던졌을 때 짝수의 눈이 나올 가능성을 수로 표현해 보세요.

답 : ＿＿＿＿＿＿＿＿

⑪ 1부터 10까지 쓰여 있는 10장의 번호표에서 1장을 뽑을 때 10 이하의 수가 적힌 번호표를 뽑을 가능성을 수로 표현해 보세요.

답 : ＿＿＿＿＿＿＿＿

진단평가

진단평가에는 앞에서 학습한 4주차의 문장제 활동이 순서대로 나옵니다. 잘못 푼 문제가 있으면 몇 주차인지 확인하여 반드시 한 번 더 복습해 봅니다.

1주차	3주차
2주차	4주차

✎ 다음 그림을 보고 물음에 답하세요.

① 세발자전거가 8대일 때 바퀴의 수는 몇 개일까요?

답 : _____

② 바퀴가 39개일 때 세발자전거의 수는 몇 대일까요?

답 : _____

③ 세발자전거의 수와 바퀴의 수 사이의 대응 관계를 써 보세요.

답 : _____

✎ 다음 물음에 답하세요.

④ 세 자리 자연수 중에서 103 이하인 수를 모두 구하세요.

답 : _____

⑤ 십의 자리 숫자가 4인 두 자리 수 중에서 45 이상인 홀수를 모두 구하세요.

답 : _____

✎ 다음 물음에 답하세요.

⑥ 반올림하여 십의 자리까지 나타내면 50이 되는 자연수 중에서 가장 큰 수와 가장 작은 수를 써 보세요.

가장 큰 수 : _____   가장 작은 수 : _____

⑦ 반올림하여 백의 자리까지 나타내면 4000이 되는 자연수 중에서 가장 큰 수와 가장 작은 수를 써 보세요.

가장 큰 수 : _____   가장 작은 수 : _____

✎ 여러 가지 회전판을 보고 □ 안에 알맞은 기호를 써넣으세요.

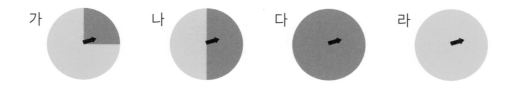

가   나   다   라

⑧ 화살이 노란색에 멈출 가능성이 불가능한 회전판은 □ 입니다.

⑨ 50번 돌렸을 때 일이 일어날 가능성이 다음 표와 가장 비슷한 회전판은 □ 입니다.

색깔	노랑	초록
횟수(회)	24	26

✎ 다음 그림을 보고 물음에 답하세요.

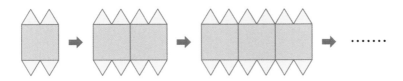

① 사각형의 수와 삼각형의 수가 어떻게 변하는지 표를 이용하여 알아보세요.

사각형의 수(개)	1	2	3	4	…….
삼각형의 수(개)	4				…….

② 사각형의 수와 삼각형의 수 사이의 대응 관계를 써 보세요.

답 : _____

✎ 다음 물음에 답하세요.

③ 십의 자리 숫자가 1인 두 자리 수 중에서 14 초과인 수를 모두 구하세요.

답 : _____

④ 십의 자리 숫자가 6인 두 자리 수 중에서 64 미만인 짝수를 모두 구하세요.

답 : _____

✎ 다음 물음에 답하세요.

⑤ 올림하여 십의 자리까지 나타내면 720이 되는 자연수 중에서 가장 큰 수와 가장 작은 수를 써 보세요.

가장 큰 수 : _____ 가장 작은 수 : _____

⑥ 올림하여 십의 자리까지 나타내면 200이 되는 자연수 중에서 가장 큰 수와 가장 작은 수를 써 보세요.

가장 큰 수 : _____ 가장 작은 수 : _____

✎ 알맞은 식을 쓰고 답을 구하세요.

⑦ 정모네 모둠의 줄넘기 기록을 나타낸 표입니다. 줄넘기 기록의 평균을 구하세요.

정모네 모둠의 줄넘기 기록

이름	정모	은혁	명수	종민
횟수(개)	42	74	53	55

식 : _____ 답 : _____

⑧ 주희네 모둠의 국어 점수를 나타낸 표입니다. 국어 점수의 평균을 구하세요.

주희네 모둠의 국어 점수

이름	주희	고은	지혜	설현	현중
점수(점)	86	95	89	94	96

식 : _____ 답 : _____

✎ 다음 물음에 답하세요.

① 거미의 다리는 8개입니다. 거미의 수를 △, 거미 다리의 수를 ◎라고 할 때, 두 양 사이의 대응 관계를 기호를 사용하여 식으로 나타내세요.

식 : _____

② 2023년에 유정이의 나이는 12살입니다. 연도를 ○, 유정이의 나이를 □라고 할 때, 두 양 사이의 대응 관계를 기호를 사용하여 식으로 나타내세요.

식 : _____

✎ 다음 물음에 답하세요.

③ 어느 도시의 하루 동안의 최저 기온을 나타낸 표입니다. 최저 기온이 8.5 °C 이하 인 날의 최저 기온을 모두 써 보세요.

최저 기온

날짜	1일	2일	3일	4일	5일	6일
최저 기온(°C)	9	8.5	8.4	8.9	8.6	7.2

답 : _____

④ 어느 다리는 무게가 20 t을 초과하는 화물차는 지나갈 수 없습니다. 다리를 지나 갈 수 없는 화물차를 모두 써 보세요.

화물차의 무게

화물차	가	나	다	라
무게(t)	23	19	20	21

답 : _____

✎ 다음 물음에 답하세요.

⑤ 버림하여 십의 자리까지 나타내면 80이 되는 자연수 중에서 가장 큰 수와 가장 작은 수를 써 보세요.

가장 큰 수 : _____   가장 작은 수 : _____

⑥ 버림하여 백의 자리까지 나타내면 8000이 되는 자연수 중에서 가장 큰 수와 가장 작은 수를 써 보세요.

가장 큰 수 : _____   가장 작은 수 : _____

✎ 다음 물음에 답하세요.

⑦ 정훈이네 모둠 학생 5명의 키의 합은 770 cm입니다. 정훈이네 모둠 학생 5명의 키의 평균은 몇 cm일까요?

답 : _____

⑧ 윤주가 12일 동안 매일 외운 영어 단어 수의 평균은 17개입니다. 윤주가 외운 영어 단어는 모두 몇 개일까요?

답 : _____

✎ 다음 그림을 보고 물음에 답하세요.

① 삼각형의 수를 △, 사각형의 수를 □라고 할 때, 두 양 사이의 대응 관계를 식으로 나타내어 보세요.

식 : _____

② 삼각형이 14개일 때 필요한 사각형의 수는 몇 개일까요?

_____

③ 사각형이 18개일 때 필요한 삼각형의 수는 몇 개일까요?

_____

✎ 해준이네 반 학생의 여러 가지 체력을 조사하여 나타낸 표입니다. 표를 완성해 보세요.

④

오래달리기

이름	기록(초)
해준	324
종현	409
희수	325
윤호	411

➡

기록(초)	이름
409 초과	
324 초과 409 이하	
281 초과 324 이하	
281 이하	

✎ 다음 물음에 답하세요.

⑤ 어느 장난감 공장에서 한 달 동안 인형을 52716개 생산하였습니다. 한 달 동안 생산한 인형의 수를 버림하여 천의 자리까지 나타내어 보세요.

답 : _____

⑥ 어느 도시의 인구 수는 749052명입니다. 인구 수를 반올림하여 만의 자리까지 나타내어 보세요.

답 : _____

✎ 다음 물음에 답하세요.

⑦ 100원짜리 동전만 3개 들어 있는 주머니에서 동전 1개를 꺼낼 때 500원 동전일 가능성을 수로 표현해 보세요.

답 : _____

⑧ 빨간색 구슬 3개, 검은색 구슬 3개가 들어 있는 주머니에서 구슬 1개를 꺼낼 때 검은색 구슬을 꺼낼 가능성을 수로 표현해 보세요.

답 : _____

✎ 대응 관계를 식으로 나타낸 후 답을 구하세요.

① 수지네 수도꼭지에서 1분에 12 L의 물이 나옵니다. 7분 동안 나온 물의 양은 몇 L
일까요?

식 : _____   답 : _____

② 서울의 시각은 영국의 런던 시각보다 9시간 빠릅니다. 런던의 시각이 4월 8일 오
전 10시일 때, 서울의 시각은 몇 월 며칠 몇 시일까요?

식 : _____   답 : _____

✎ 다음 물음에 답하세요.

③ 준섭이네 반 학생들에게 젤리를 한 개씩 나누어 주려면 한 봉지에 12개씩 묶여 있
는 젤리를 3봉지 사야 합니다. 준섭이네 반 학생은 몇 명 이상 몇 명 이하일까요?

답 : _____

④ 현희네 학교 5학년 학생들이 수영장에 가려면 정원이 45명인 버스가 4대 필요하
다고 합니다. 현희네 학교 5학년 학생은 몇 명 초과 몇 명 이하일까요?

답 : _____

✎ 다음 물음에 답하세요.

⑤ 정민이는 옷가게에서 24100원짜리 티셔츠를 한 장 샀습니다. 1000원짜리 지폐로만 티셔츠 값을 낸다면 최소 얼마를 내야 할까요?

답 : _____

⑥ 무진이는 도화지 1692장을 한 상자에 100장씩 담아서 정리하려고 합니다. 100장씩 상자에 담을 수 있는 도화지는 몇 장일까요?

답 : _____

✎ 다음 물음에 답하세요.

⑦ 효철이는 일주일 동안 팔굽혀펴기를 105회 했고, 민혁이는 10일 동안 160회 했습니다. 하루 평균 팔굽혀펴기를 더 많이 한 사람은 누구일까요?

답 : _____

⑧ 준구와 민주가 요일별로 줄넘기 한 것을 나타낸 표입니다. 하루에 줄넘기를 더 많이 한 사람은 누구일까요?

준구가 줄넘기를 한 횟수

요일	월	화	수	목
횟수(개)	76	65	72	79

민주가 줄넘기를 한 횟수

요일	월	수	금
횟수(개)	64	69	80

답 : _____

정답

E4 대응과 통계
초5~초6

P 06 ~ 07

1일 두 양 사이의 관계(1)

> 한 양이 변할 때 다른 양이 그에 따라 변하는 관계를 대응 관계라고 해.

❀ 다음 그림을 보고 물음에 답하세요.

○ 탁자가 3개일 때 필요한 의자의 수는 몇 개일까요?

답 : __9개__

① 탁자가 10개일 때 필요한 의자의 수는 몇 개일까요?

답 : __30개__

② 의자가 60개일 때 필요한 탁자의 수는 몇 개일까요?

답 : __20개__

③ 의자의 수와 탁자의 수 사이의 대응 관계를 써 보세요.

답 : 의자의 수는 탁자의 수의 3배입니다.
　　(의자의 수를 3으로 나누면 탁자의 수가 됩니다.)

❀ 다음 그림을 보고 물음에 답하세요.

○ 돼지가 4마리일 때 돼지 다리의 수는 몇 개일까요?

답 : __16개__

① 돼지가 9마리일 때 돼지 다리의 수는 몇 개일까요?

답 : __36개__

② 돼지 다리가 28개일 때 돼지는 몇 마리일까요?

답 : __7마리__

③ 돼지의 수와 돼지 다리의 수 사이의 대응 관계를 써 보세요.

답 : 돼지 다리의 수는 돼지의 수의 4배입니다.
　　(돼지 다리의 수를 4로 나누면 돼지의 수가 됩니다.)

P 08 ~ 09

2일 두 양 사이의 관계(2)

> 두 수 사이의 대응 관계는 표를 이용하여 알아보는 것이 가장 좋아.

🔷 다음 그림을 보고 물음에 답하세요.

○

빨간색 사각형의 수와 파란색 사각형의 수가 어떻게 변하는지 표를 이용하여 알아보세요.

빨간색 사각형의 수(개)	1	2	3	4	……
파란색 사각형의 수(개)	3	4	5	6	……

빨간색 사각형의 수와 파란색 사각형의 수 사이의 대응 관계를 써 보세요.

답 : 파란색 사각형의 수는 빨간색 사각형의 수보다 2개 많습니다.

①

도화지의 수와 누름 못의 수가 어떻게 변하는지 표를 이용하여 알아보세요.

도화지의 수(장)	2	3	4	5	……
누름 못의 수(개)	3	4	5	6	……

도화지의 수와 누름 못의 수 사이의 대응 관계를 써 보세요.

답 : 누름 못의 수는 도화지의 수보다 1개 많습니다.

②

사각형의 수와 삼각형의 수가 어떻게 변하는지 표를 이용하여 알아보세요.

사각형의 수(개)	1	2	3	4	……
삼각형의 수(개)	2	4	6	8	……

사각형의 수와 삼각형의 수 사이의 대응 관계를 써 보세요.

답 : 삼각형의 수는 사각형의 수의 2배입니다.

③

바구니의 수와 귤의 수가 어떻게 변하는지 표를 이용하여 알아보세요.

바구니의 수(개)	1	2	3	4	……
귤의 수(개)	5	10	15	20	……

바구니의 수와 귤의 수 사이의 대응 관계를 써 보세요.

답 : 귤의 수는 바구니의 수의 5배입니다.

P 10 ~ 11

3일 대응 관계 식(1)

🐝 승합차 한 대에 7명이 탈 수 있습니다. 물음에 답하세요.

① 승합차의 수와 탈 수 있는 사람의 수 사이의 대응 관계를 표를 이용하여 알아보세요.

승합차의 수(대)	1	2	3	4	5	……
탈 수 있는 사람 수(명)	7	14	21	28	35	……

② 알맞은 카드를 골라 표를 통해 알 수 있는 두 양 사이의 대응 관계를 식으로 나타내어 보세요.

식 ː 승합차의 수 × 7 = 탈 수 있는 사람 수

또는 탈 수 있는 사람 수 ÷ 7 = 승합차의 수

③ 승합차의 수를 ○, 탈 수 있는 사람의 수를 △라고 할 때, 두 양 사이의 대응 관계를 식으로 나타내면 ○ × 7 = △ 또는 △ ÷ 7 = ○ 입니다.

🐝 다음 물음에 답하세요.

◎ 미술 활동을 하기 위해 한 모둠에 찰흙을 ③덩이씩 나누어 주었습니다. 모둠의 수를 ○, 찰흙의 수를 △라고 할 때, 두 양 사이의 대응 관계를 기호를 사용하여 식으로 나타내세요.

식 ː ○×3=△ 또는 △÷3=○

① 개미의 다리는 6개입니다. 개미의 수를 ◇, 개미 다리의 수를 ◎라고 할 때, 두 양 사이의 대응 관계를 기호를 사용하여 식으로 나타내세요.

식 ː ◇×6=◎ 또는 ◎÷6=◇

② 은수의 나이는 12살이고, 은수 언니의 나이는 15살입니다. 은수의 나이를 □, 은수 언니의 나이를 △라고 할 때, 두 양 사이의 대응 관계를 기호를 사용하여 식으로 나타내세요.

식 ː □+3=△ 또는 △-3=□

③ 2022년도에 찬민이의 나이는 13살입니다. 연도를 ○, 찬민이의 나이를 ◇라고 할 때, 두 양 사이의 대응 관계를 기호를 사용하여 식으로 나타내세요.

식 ː ○-2009=◇ 또는 ◇+2009=○

P 12 ~ 13

4일 대응 관계 식(2)

🐚 다음 그림을 보고 물음에 답하세요.

① 삼각형의 수와 사각형의 수 사이의 대응 관계를 표를 이용하여 알아보세요.

삼각형의 수(개)	1	2	3	5	8	……
사각형의 수(개)	3	6	9	15	24	……

② 삼각형의 수를 △, 사각형의 수를 □라고 할 때, 두 양 사이의 대응 관계를 식으로 나타내어 보세요.

식 ː △×3=□ 또는 □÷3=△

③ 삼각형이 10개일 때 필요한 사각형의 수는 몇 개일까요?

답 ː 30개

④ 사각형이 36개일 때 필요한 삼각형의 수는 몇 개일까요?

답 ː 12개

🐚 다음 물음에 답하세요.

◎ 색 테이프를 자른 횟수를 □, 도막의 수를 ◎라고 할 때, 두 양 사이의 대응 관계를 식으로 나타내고, 색 테이프가 ⑩도막일 때 색 테이프를 자른 횟수를 구해 보세요.

식 ː □+1=◎ 또는 ◎-1=□   답 ː 9번

① 요구르트 한 묶음에는 요구르트가 5개씩입니다. 요구르트 묶음의 수를 △, 요구르트의 수를 ○라고 할 때, 두 양 사이의 대응 관계를 식으로 나타내고, 요구르트의 수가 35개일 때 요구르트 묶음의 수를 구해 보세요.

식 ː △×5=○ 또는 ○÷5=△   답 ː 7묶음

② 원 모양의 실을 그림과 같이 자르고 있습니다. 자른 횟수를 ○, 자른 후의 실의 개수를 ◇라고 할 때, 두 양 사이의 대응 관계를 식으로 나타내고, 자른 횟수가 13번일 때 자른 후의 실의 개수를 구해 보세요.

식 ː ○×2=◇ 또는 ◇÷2=○   답 ː 26개

P 14 ~ 15

5일 대응 관계 상황

> 대응 관계를 식으로 나타내면 많은 쉽게 구할 수 있어.

❀ 대응 관계를 나타낸 식을 보고 식에 알맞은 상황을 만들어 보세요.

○ **□×4=○**

상황 : 자동차 바퀴의 수(○)는 자동차의 수(□)의 4배입니다.

① **◎×2=◇**

상황 : 오리의 다리의 수(◇)는 오리의 수(◎)의 2배입니다.

② **○+5=△**

상황 : 준우의 나이(△)는 준우 동생의 나이(○)보다 5살 많습니다.

❀ 대응 관계를 식으로 나타낸 후 답을 구하세요.

◇ 초콜릿 1개의 가격은 1300원입니다. 초콜릿 7개를 사는 데 필요한 금액은 얼마일까요?

식 : <u>(초콜릿의 개수)×1300=(필요한 금액)</u>   답 : <u>9100원</u>

7 × 1300 = 9100

① 효진이네 샤워기에서 1분에 16 L의 물이 나옵니다. 12분 동안 나온 물의 양은 몇 L일까요?

식 : <u>(물이 나온 시간)×16=(나온 물의 양)</u>   답 : <u>192 L</u>

12×16=192

② 1시간에 70 km의 속력으로 이동하는 자동차가 있습니다. 같은 속력으로 8시간 동안 이동하였을 때의 거리는 몇 km일까요?

식 : <u>(이동 시간)×70=(이동 거리)</u>   답 : <u>560 km</u>

8×70=560

③ 서울의 시각은 캐나다의 토론토 시각보다 14시간 빠릅니다. 토론토의 시각이 5월 4일 오전 8시일 때, 서울의 시각은 몇 월 며칠 몇 시일까요?

식 : <u>(토론토의 시각)+14=(서울의 시각)</u>   답 : <u>5월 4일 오후 10시</u>

8+14=22

P 16 ~ 17

확인학습

✎ 다음 그림을 보고 물음에 답하세요.

①

노란색 사각형의 수와 파란색 사각형의 수가 어떻게 변하는지 표를 이용하여 알아보세요.

| 노란색 사각형의 수(개) | 1 | 2 | 3 | 4 | …… |
| 파란색 사각형의 수(개) | 2 | 3 | 4 | 5 | …… |

노란색 사각형의 수와 파란색 사각형의 수 사이의 대응 관계를 써 보세요.

답 : 파란색 사각형의 수는 노란색 사각형의 수보다 1개 많습니다.

②

바구니의 수와 사과의 수가 어떻게 변하는지 표를 이용하여 알아보세요.

| 바구니의 수(개) | 1 | 2 | 3 | 4 | …… |
| 사과의 수(개) | 4 | 8 | 12 | 16 | …… |

바구니의 수와 사과의 수 사이의 대응 관계를 써 보세요.

답 : 사과의 수는 바구니의 수의 4배입니다.

✎ 다음 물음에 답하세요.

③ 미술 활동을 하기 위해 한 사람에게 색종이를 5장씩 나누어 주었습니다. 사람의 수를 ○, 색종이의 수를 △라고 할 때, 두 양 사이의 대응 관계를 기호를 사용하여 식으로 나타내세요.

식 : <u>○×5=△ 또는 △÷5=○</u>

④ 여빈이의 나이는 12살이고 여빈이 오빠의 나이는 14살입니다. 여빈이의 나이를 □, 오빠의 나이를 ◎라고 할 때, 두 양 사이의 대응 관계를 기호를 사용하여 식으로 나타내세요.

식 : <u>□+2=◎ 또는 ◎-2=□</u>

✎ 다음 물음에 답하세요.

⑤ 달걀 한 판에는 달걀이 30개씩입니다. 달걀 판 수를 △, 달걀의 수를 ○라고 할 때, 두 양 사이의 대응 관계를 식으로 나타내고, 달걀의 수가 270개일 때 달걀 판 수를 구해 보세요.

식 : <u>△×30=○ 또는 ○÷30=△</u>   답 : <u>9판</u>

P 18

확인학습

◆ 대응 관계를 식으로 나타낸 후 답을 구하세요.

⑥ 굵기가 일정한 통나무를 한 번 자르는 데 5분이 걸립니다. 쉬지 않고 8번 자르면 몇 분이 걸릴까요?

식 : ___(자른 횟수)×5=(걸린 시간)___ 답 : __40분__

⑦ 공책 1권의 가격은 900원입니다. 공책 12권을 사는데 필요한 금액은 얼마일까요?

식 : __(공책 권 수)×900=(필요한 금액)__ 답 : __10800원__

⑧ 1시간에 50 km의 속력으로 이동하는 지하철이 있습니다. 같은 속력으로 3시간 동안 이동하였을 때의 거리는 몇 km일까요?

식 : ___(이동 시간)×50=(이동 거리)___ 답 : __150 km__

⑨ 정호네 집에 있는 강아지는 태어난 지 7개월이 되었고, 고양이는 태어난 지 3개월이 되었습니다. 강아지가 태어난 지 20개월이 되었을 때, 고양이는 태어난 지 얼마가 되었을까요?

식 : __(강아지의 개월 수)-4=(고양이의 개월 수)__ 답 : __16개월__

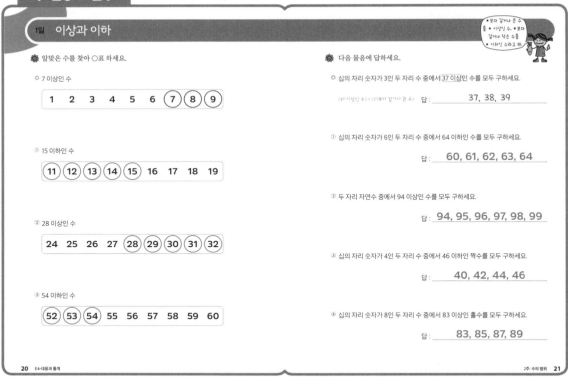

1일 이상과 이하

● 보다 같거나 큰 수를 ■ 이상인 수, 보다 같거나 작은 수를 ■ 이하인 수라고 해.

● 알맞은 수를 찾아 ○표 하세요.

◎ 7 이상인 수

1 2 3 4 5 6 ⑦ ⑧ ⑨

① 15 이하인 수

⑪ ⑫ ⑬ ⑭ ⑮ 16 17 18 19

② 28 이상인 수

24 25 26 27 ㉘ ㉙ ㉚ ㉛ ㉜

③ 54 이하인 수

㊷ ㊸ ㊹ 55 56 57 58 59 60

● 다음 물음에 답하세요.

◎ 십의 자리 숫자가 3인 두 자리 수 중에서 37 이상인 수를 모두 구하세요.

(37 이상인 수) = (37보다 같거나 큰 수) 답 : 37, 38, 39

① 십의 자리 숫자가 6인 두 자리 수 중에서 64 이하인 수를 모두 구하세요.

답 : 60, 61, 62, 63, 64

② 두 자리 자연수 중에서 94 이상인 수를 모두 구하세요.

답 : 94, 95, 96, 97, 98, 99

③ 십의 자리 숫자가 4인 두 자리 수 중에서 46 이하인 짝수를 모두 구하세요.

답 : 40, 42, 44, 46

④ 십의 자리 숫자가 8인 두 자리 수 중에서 83 이상인 홀수를 모두 구하세요.

답 : 83, 85, 87, 89

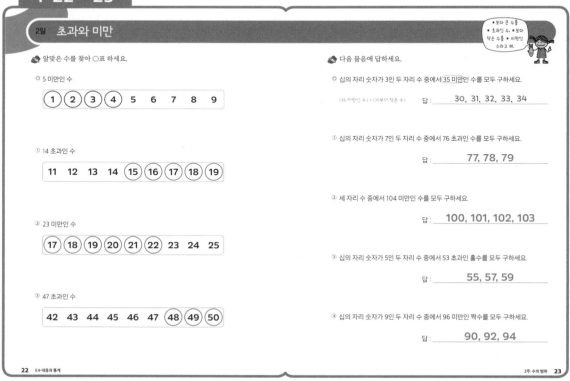

2일 초과와 미만

● 보다 큰 수를 ■ 초과인 수, 보다 작은 수를 ■ 미만인 수라고 해.

● 알맞은 수를 찾아 ○표 하세요.

◎ 5 미만인 수

① ② ③ ④ 5 6 7 8 9

① 14 초과인 수

11 12 13 14 ⑮ ⑯ ⑰ ⑱ ⑲

② 23 미만인 수

⑰ ⑱ ⑲ ⑳ ㉑ ㉒ 23 24 25

③ 47 초과인 수

42 43 44 45 46 47 ㊽ ㊾ ㊿

● 다음 물음에 답하세요.

◎ 십의 자리 숫자가 3인 두 자리 수 중에서 35 미만인 수를 모두 구하세요.

(35 미만인 수) = (35보다 작은 수) 답 : 30, 31, 32, 33, 34

① 십의 자리 숫자가 7인 두 자리 수 중에서 76 초과인 수를 모두 구하세요.

답 : 77, 78, 79

② 세 자리 수 중에서 104 미만인 수를 모두 구하세요.

답 : 100, 101, 102, 103

③ 십의 자리 숫자가 5인 두 자리 수 중에서 53 초과인 홀수를 모두 구하세요.

답 : 55, 57, 59

④ 십의 자리 숫자가 9인 두 자리 수 중에서 96 미만인 짝수를 모두 구하세요.

답 : 90, 92, 94

P 24 ~ 25

3일 수의 범위(1)

이상, 이하는 기준을 포함하고, 초과, 이만은 기준을 포함하지 않아.

🐝 다음 물음에 답하세요.

◎ 주희네 반 학생들의 몸무게를 나타낸 표입니다. 몸무게가 43 kg 이상인 학생의 몸무게를 모두 써 보세요.

주희네 반 학생들의 몸무게

이름	주희	지훈	현지	정민
몸무게(kg)	42.9	45.0	43.2	43.0

(43 이상인 수) = (43보다 크거나 같은 수) 답 : **45.0kg, 43.2kg, 43.0kg**

① 금현이네 반 학생들이 한 달 동안 읽은 책 수를 나타낸 표입니다. 읽은 책이 6권 이하인 학생의 읽은 책 수를 모두 써 보세요.

금현이네 반 학생들이 읽은 책 수

이름	금현	지수	재현	예준
책 수(권)	7	6	3	4

답 : **6권, 3권, 4권**

② 정모네 반 학생들의 50 m 달리기 기록을 나타낸 표입니다. 50 m 달리기 기록이 10초 미만인 학생의 기록을 모두 써 보세요.

50 m 달리기 기록

이름	정모	승희	선형	효진
시간(초)	9.7	10.0	9.5	10.8

답 : **9.7초, 9.5초**

③ 한별이네 가족의 나이를 나타낸 표입니다. 나이가 14세 이상인 사람의 나이를 모두 써 보세요.

한별이네 가족의 나이

가족	한별	누나	형	동생
나이(세)	12	14	15	10

답 : **14세, 15세**

④ 어느 도시의 하루 동안의 최고 기온을 나타낸 표입니다. 최고 기온이 24℃ 초과인 날의 최고 기온을 모두 써 보세요.

최고 기온

날짜	1일	2일	3일	4일	5일	6일
최고 기온(℃)	24.6	23.5	24.0	23.9	24.2	25.0

답 : **24.6 ℃, 24.2 ℃, 25.0 ℃**

⑤ 키가 130 cm 미만인 사람만 탑승할 수 있는 놀이 기구가 있습니다. 이 놀이 기구를 탈 수 있는 사람의 키를 모두 써 보세요.

사람들의 키

날짜	재현	정석	지은	소미	지영	염현
키(cm)	130.0	132.1	128.9	129.7	127.0	130.1

답 : **128.9 cm, 129.7 cm, 127.0 cm**

P 26 ~ 27

4일 수의 범위(2)

조건에 맞도록 수의 범위를 구해 보자.

🍙 다음 물음에 답하세요.

◎ 6 초과 11 미만인 자연수를 모두 써 보세요.

6보다 크고 11보다 작은 자연수를 모두 써 봅니다. 답 : **7, 8, 9, 10**

① 17 초과 25 미만인 자연수를 모두 써 보세요.

답 : **18, 19, 20, 21, 22, 23, 24**

② 32 이상 38 미만인 자연수를 모두 써 보세요.

답 : **32, 33, 34, 35, 36, 37**

③ 50 초과 55 이하인 자연수를 모두 써 보세요.

답 : **51, 52, 53, 54, 55**

④ 12 초과 ■ 미만인 자연수는 모두 4개일 때 ■에 알맞은 자연수를 써 보세요.

답 : **17**

🍙 다음 물음에 답하세요.

◎ 미도네 반 학생들에게 연필을 한 자루씩 주려면 8자루씩 한 묶음으로 판매하는 연필이 3묶음 필요하다고 합니다. 미도네 반 학생은 몇 명 이상 몇 명 이하일까요?

최소 8자루씩 2묶음과 1자루가 필요할 경우 17명. 답 : **17명 이상 24명 이하**
최대 8자루씩 3묶음이 모두 필요할 경우 24명

① 인서네 반 학생들에게 사탕을 한 개씩 나누어 주려면 한 상자에 10개씩 묶여 있는 사탕을 4상자 사야 합니다. 인서네 반 학생은 몇 명 초과 몇 명 이하일까요?

답 : **30명 초과 40명 이하**

② 창모네 학교 5학년 학생들이 체험 학습장에 가려면 25명이 탈 수 있는 버스가 4대 필요하다고 합니다. 창모네 학교 5학년 학생은 모두 몇 명 이상, 몇 명 이하일까요?

답 : **76명 이상 100명 이하**

③ 어느 박물관의 엘리베이터는 정원이 12명입니다. 엘리베이터가 8번 올라가야 모든 입장객이 위층으로 이동할 수 있다고 합니다. 입장객은 몇 명 초과 몇 명 이하일까요?

답 : **84명 초과 96명 이하**

P 28 ~ 29

5일 수의 범위 활용

수의 범위를 주의 깊게 본 후 알맞게 이름을 써 보자.

✿ 문재네 반 학생의 여러 가지 체력을 조사하여 나타낸 표입니다. 표를 완성해 보세요.

⓪ 15m 왕복 오래달리기

이름	기록(회)
문재	75
준기	58
찬원	79
경식	48

⇒

기록(회)	이름
76 초과	찬원
58 초과 76 이하	문재
45 초과 58 이하	준기, 경식
45 이하	

① 윗몸 말아올리기

이름	기록(회)
문재	35
준기	26
찬원	25
경식	38

⇒

기록(회)	이름
35 초과	경식
25 초과 35 이하	준기, 문재
18 초과 25 이하	찬원
18 이하	

② 앉아 윗몸 앞으로 굽히기

이름	기록(cm)
문재	7.4
준기	11.5
찬원	7.8
경식	3.9

⇒

기록(cm)	이름
11.5 이상	준기
7.8 이상 11.5 미만	찬원
4.0 이상 7.8 미만	문재
4.0 미만	경식

③ 반복 옆뛰기

이름	기록(회)
문재	28
준기	25
찬원	26
경식	33

⇒

기록(회)	이름
32 초과	경식
29 초과 32 이하	
26 초과 29 이하	문재
26 이하	준기, 찬원

④ 제자리 멀리뛰기

이름	기록(cm)
문재	147
준기	146
찬원	161
경식	132

⇒

기록(cm)	이름
161 이상	찬원
147 이상 161 미만	문재
131 이상 147 미만	준기, 경식
131 미만	

⑤ 50m 달리기

이름	기록(초)
문재	9.4
준기	9.1
찬원	10.2
경식	9.3

⇒

기록(초)	이름
9.1 미만	
9.1 이상 10.2 미만	문재, 준기, 경식
10.2 이상 11.3 미만	찬원
11.3 이상	

P 30 ~ 31

확인학습

✒ 다음 물음에 답하세요.

① 십의 자리 숫자가 7인 두 자리 수 중에서 76 이상인 수를 모두 구하세요.

답 : **76, 77, 78, 79**

② 십의 자리 숫자가 2인 두 자리 수 중에서 24 이하인 짝수를 모두 구하세요.

답 : **20, 22, 24**

③ 백의 자리 숫자가 3인 세 자리 수 중에서 303 미만인 수를 모두 구하세요.

답 : **300, 301, 302**

④ 십의 자리 숫자가 8인 두 자리 수 중에서 85 초과인 홀수를 모두 구하세요.

답 : **87, 89**

✒ 다음 물음에 답하세요.

⑤ 주회네 반 학생들이 방학 동안 읽은 책 수를 나타낸 표입니다. 읽은 책이 7권 이상인 학생의 읽은 책 수를 모두 써 보세요.

주회네 반 학생들이 읽은 책 수

이름	주회	소현	민규	준호
책 수(권)	6	7	5	8

답 : **7권, 8권**

⑥ 준형이네 모둠 학생들의 과학 점수를 나타낸 표입니다. 과학 점수가 92점 미만인 학생의 과학 점수를 모두 써 보세요.

준형이네 모둠 학생들의 과학 점수

이름	준형	유희	현재	다솔
점수(점)	94	89	91	92

답 : **89점, 91점**

✒ 다음 물음에 답하세요.

⑦ 8 초과 13 이하인 자연수를 모두 써 보세요.

답 : **9, 10, 11, 12, 13**

⑧ 78 이상 82 미만인 자연수를 모두 써 보세요.

답 : **78, 79, 80, 81**

P 32

확인학습

◆ 다음 물음에 답하세요.

⑨ 원영이네 반 학생들에게 공책을 한 권씩 주려면 10권씩 한 묶음으로 판매하는 공책이 3묶음 필요하다고 합니다. 원영이네 반 학생은 몇 명 이상 몇 명 이하일까요?

답 : __21명 이상 30명 이하__

⑩ 유진이네 학교 5학년 학생들이 보트를 한 번씩 타려면 15명이 탈 수 있는 보트가 4대 필요하다고 합니다. 유진이네 학교 5학년 학생은 모두 몇 명 초과, 몇 명 이하일까요?

답 : __45명 초과 60명 이하__

◆ 찬수네 반 학생의 여러 가지 체력을 조사하여 나타낸 표입니다. 표를 완성해 보세요.

⑪

악력 검사

이름	기록(kg)
찬수	19
정민	11
광일	12
민혁	30

➡

기록(kg)	이름
29 이상	민혁
19 이상 29 미만	찬수
12 이상 19 미만	광일
12 미만	정민

P 34 ~ 35

1일 올림

구하려는 자리의 아래 수를 올려서 나타내는 반법을 올림이라고 해.

❁ 올림하여 주어진 자리까지 나타내어 보세요.

수	십의 자리	백의 자리
438	440	500

①
수	십의 자리	백의 자리
649	650	700

②
수	백의 자리	천의 자리
3261	3300	4000

③
수	소수 둘째 자리	소수 첫째 자리
0.243	0.25	0.3

④
수	소수 셋째 자리	소수 첫째 자리
0.8751	0.876	0.9

❁ 다음 물음에 답하세요.

◦ 올림하여 십의 자리까지 나타내면 80이 되는 자연수 중에서 가장 큰 수와 가장 작은 수를 써 보세요.

가장 큰 수 : __80__   가장 작은 수 : __71__

① 올림하여 십의 자리까지 나타내면 460이 되는 자연수 중에서 가장 큰 수와 가장 작은 수를 써 보세요.

가장 큰 수 : __460__   가장 작은 수 : __451__

② 올림하여 백의 자리까지 나타내면 3500이 되는 자연수 중에서 가장 큰 수와 가장 작은 수를 써 보세요.

가장 큰 수 : __3500__   가장 작은 수 : __3401__

③ 올림하여 십의 자리까지 나타내면 700이 되는 자연수 중에서 가장 큰 수와 가장 작은 수를 써 보세요.

가장 큰 수 : __700__   가장 작은 수 : __691__

P 36 ~ 37

2일 버림

구하려는 자리의 아래 수를 버려서 나타내는 반법을 버림이라고 해.

❁ 버림하여 주어진 자리까지 나타내어 보세요.

수	십의 자리	백의 자리
673	670	600

①
수	십의 자리	백의 자리
835	830	800

②
수	십의 자리	천의 자리
7419	7410	7000

③
수	소수 둘째 자리	소수 첫째 자리
0.148	0.14	0.1

④
수	소수 셋째 자리	소수 둘째 자리
0.5762	0.576	0.57

❁ 다음 물음에 답하세요.

◦ 버림하여 십의 자리까지 나타내면 40이 되는 자연수 중에서 가장 큰 수와 가장 작은 수를 써 보세요.

가장 큰 수 : __49__   가장 작은 수 : __40__

① 버림하여 십의 자리까지 나타내면 920이 되는 자연수 중에서 가장 큰 수와 가장 작은 수를 써 보세요.

가장 큰 수 : __929__   가장 작은 수 : __920__

② 버림하여 백의 자리까지 나타내면 800이 되는 자연수 중에서 가장 큰 수와 가장 작은 수를 써 보세요.

가장 큰 수 : __899__   가장 작은 수 : __800__

③ 버림하여 백의 자리까지 나타내면 7000이 되는 자연수 중에서 가장 큰 수와 가장 작은 수를 써 보세요.

가장 큰 수 : __7099__   가장 작은 수 : __7000__

P 38 ~ 39

3일 반올림

5, 6, 7, 8, 9이면 버리고, 5, 6, 7, 8, 9이면 올려.

🐝 반올림하여 주어진 자리까지 나타내어 보세요.

○
수	십의 자리	백의 자리
894	890	900

①
수	십의 자리	백의 자리
327	330	300

②
수	십의 자리	천의 자리
8424	8420	8000

③
수	소수 둘째 자리	소수 첫째 자리
0.925	0.93	0.9

④
수	소수 셋째 자리	소수 첫째 자리
2.6742	2.674	2.7

🐝 다음 물음에 답하세요.

○ 반올림하여 십의 자리까지 나타내면 30이 되는 자연수 중에서 가장 큰 수와 가장 작은 수를 써 보세요.

가장 큰 수 : __34__ 가장 작은 수 : __25__

① 반올림하여 백의 자리까지 나타내면 200이 되는 자연수 중에서 가장 큰 수와 가장 작은 수를 써 보세요.

가장 큰 수 : __249__ 가장 작은 수 : __150__

② 반올림하여 십의 자리까지 나타내면 700이 되는 자연수 중에서 가장 큰 수와 가장 작은 수를 써 보세요.

가장 큰 수 : __704__ 가장 작은 수 : __695__

③ 반올림하여 백의 자리까지 나타내면 8000이 되는 자연수 중에서 가장 큰 수와 가장 작은 수를 써 보세요.

가장 큰 수 : __8049__ 가장 작은 수 : __7950__

P 40 ~ 41

4일 어림의 활용(1)

올림, 버림, 반올림을 정확히 구분할 줄 알아야 해.

🐝 다음 물음에 답하세요.

○ 야구장에 입장한 사람 수는 18235명입니다. 야구장에 입장한 사람 수를 올림하여 천의 자리까지 나타내어 보세요.

답 : __19000명__

① 선희네 학교 학생 수는 1254명입니다. 학생 수를 올림하여 백의 자리까지 나타내어 보세요.

답 : __1300명__

② 어느 마을에서 기르는 소의 수는 167429마리입니다. 소의 수를 버림하여 만의 자리까지 나타내어 보세요.

답 : __160000마리__

③ 어느 도시의 인구 수는 313542명입니다. 인구 수를 반올림하여 천의 자리까지 나타내어 보세요.

답 : __314000명__

④ 이번 주 놀이공원 입장객 수는 47491명입니다. 입장객 수를 반올림하여 천의 자리까지 나타내어 보세요.

답 : __47000명__

⑤ 어느 인형 공장에서 1주일 동안 인형을 9342개 생산하였습니다. 1주일 동안 생산한 인형 수를 버림하여 백의 자리까지 나타내어 보세요.

답 : __9300개__

⑥ 철근 1m의 무게는 5293 g입니다. 철근의 무게를 올림하여 천의 자리까지 나타내어 보세요.

답 : __6000 g__

⑦ 어느 양봉장에 있는 꿀벌의 수는 255483마리입니다. 꿀벌의 수를 반올림하여 만의 자리까지 나타내어 보세요.

답 : __260000마리__

P 42 ~ 43

5일 어림의 활용(2)

올림, 버림, 반올림 중에서 어느 방법을 이용해야 하는지 알까요.

🌸 다음 물음에 답하세요.

○ 427명의 학생이 모두 앉을 수 있도록 10명씩 앉을 수 있는 의자를 놓으려고 합니다. 의자를 최소 몇 개 놓아야 할까요?

427 ÷ 10 = 42 ~ 7
모든 학생이 앉아야 하므로 올림을 이용합니다.

답 : __43개__

① 운동장에 897명의 학생들이 있습니다. 10명씩 한 모둠으로 만들려고 한다면 몇 모둠까지 만들 수 있을까요?

버림을 이용합니다.

답 : __89모둠__

② 5학년 학생은 136명입니다. 한 사람에게 색 도화지를 1장씩 나누어 주려고 하는데 색 도화지는 10장씩 묶어서 판다고 합니다. 색 도화지는 모두 몇 장 사야 할까요?

올림을 이용합니다.

답 : __140장__

③ 저금통에 12170원이 들어 있습니다. 이것을 1000원짜리 지폐로 바꾸면 몇 장까지 바꿀 수 있을까요?

버림을 이용합니다.

답 : __12장__

④ 색연필의 길이를 재어 보았더니 18.4 cm였습니다. 이것을 1 cm 단위로 하여 가까운 곳의 눈금을 읽으면 약 몇 cm일까요?

반올림을 이용합니다.

답 : __약 18 cm__

⑤ 용재는 블록 12623개를 한 봉지에 100개씩 담아서 정리하려고 합니다. 100개씩 봉지에 담을 수 있는 블록은 몇 개일까요?

버림을 이용합니다.

답 : __12600개__

⑥ 한 변의 길이가 190 cm인 정사각형 모양의 꽃밭이 있습니다. 이 꽃밭의 둘레를 길이가 1 m인 끈으로 재면 약 몇 m가 될까요?

반올림을 이용합니다.

답 : __약 8 m__

⑦ 진우는 가게에서 16300원짜리 모자를 한 개 샀습니다. 1000원짜리 지폐로만 모자값을 낸다면 최소 얼마를 내야 할까요?

올림을 이용합니다.

답 : __17000원__

P 44 ~ 45

확인학습

✏️ 다음 물음에 답하세요.

① 올림하여 십의 자리까지 나타내면 30이 되는 자연수 중에서 가장 큰 수와 가장 작은 수를 써 보세요.

가장 큰 수 : __30__   가장 작은 수 : __21__

② 올림하여 백의 자리까지 나타내면 5400이 되는 자연수 중에서 가장 큰 수와 가장 작은 수를 써 보세요.

가장 큰 수 : __5400__   가장 작은 수 : __5301__

③ 버림하여 십의 자리까지 나타내면 780이 되는 자연수 중에서 가장 큰 수와 가장 작은 수를 써 보세요.

가장 큰 수 : __789__   가장 작은 수 : __780__

④ 버림하여 백의 자리까지 나타내면 6000이 되는 자연수 중에서 가장 큰 수와 가장 작은 수를 써 보세요.

가장 큰 수 : __6099__   가장 작은 수 : __6000__

✏️ 반올림하여 주어진 자리까지 나타내어 보세요.

⑤
수	십의 자리	백의 자리
382	380	400

⑥
수	소수 둘째 자리	소수 첫째 자리
0.617	0.62	0.6

✏️ 다음 물음에 답하세요.

⑦ 반올림하여 백의 자리까지 나타내면 900이 되는 자연수 중에서 가장 큰 수와 가장 작은 수를 써 보세요.

가장 큰 수 : __949__   가장 작은 수 : __850__

⑧ 반올림하여 십의 자리까지 나타내면 300이 되는 자연수 중에서 가장 큰 수와 가장 작은 수를 써 보세요.

가장 큰 수 : __304__   가장 작은 수 : __295__

P 46

확인학습

◆ 다음 물음에 답하세요.

⑨ 박물관에 입장한 사람 수는 14173명입니다. 박물관에 입장한 사람 수를 올림하여 천의 자리까지 나타내어 보세요.

답 : **15000명**

⑩ 어느 농장에서 기르는 닭의 수는 5470마리입니다. 닭의 수를 반올림하여 백의 자리까지 나타내어 보세요.

답 : **5500마리**

◆ 다음 물음에 답하세요.

⑪ 283명의 학생이 모두 앉을 수 있도록 10명씩 앉을 수 있는 의자를 놓으려고 합니다. 의자를 최소 몇 개 놓아야 할까요?

답 : **29개**

⑫ 돼지저금통에 35120원이 들어 있습니다. 이것을 100원짜리 동전으로 바꾸면 몇 개까지 바꿀 수 있을까요?

답 : **351개**

4주

P 48 ~ 49

1일 평균 구하기(1)

(평균) = (자료의 값을 모두 더한 수) ÷ (자료의 수)

평균을 구하세요.

○
| 23 | 25 | 26 | 26 |

(23 + 25 + 26 + 26) ÷ 4 = 25

답 : 25

①
| 15 | 15 | 18 | 12 |

(15+15+18+12)÷4=15

답 : 15

②
| 200 | 250 | 280 | 310 |

(200+250+280+310)÷4=260

답 : 260

③
| 99 | 82 | 107 | 100 | 102 |

(99+82+107+100+102)÷5=98

답 : 98

알맞은 식을 쓰고 답을 구하세요.

○ 효민이네 모둠이 투호놀이에서 넣은 화살 수를 나타낸 표입니다. 넣은 화살 수의 평균을 구하세요.

효민이네 모둠이 넣은 화살 수

이름	효민	정미	한결	영호
넣은 화살 수(개)	4	8	6	2

식 : (4+8+6+2)÷4=5 답 : 5개

① 어느 햄버거 가게의 4일 동안 햄버거 판매량을 나타낸 표입니다. 하루 동안 판매한 햄버거의 평균을 구하세요.

햄버거 판매량

요일	월	화	수	목
판매량(개)	44	65	59	64

식 : (44+65+59+64)÷4=58 답 : 58개

② 지훈이의 타자 기록을 나타낸 표입니다. 타자 기록의 평균을 구하세요.

타자 기록

회	1회	2회	3회	4회	5회
타자 속도(타)	317	314	320	325	324

식 : (317+314+320+325+324)÷5=320 답 : 320타

P 50 ~ 51

2일 평균 구하기(2)

(평균)= (자료의 값을 모두 더한 수) ÷ (자료의 수)

다음 물음에 답하세요.

○ 수민이와 친구들이 연필의 길이를 재어 나타낸 표입니다. 길이가 평균보다 짧은 연필을 가진 친구는 몇 명일까요?

연필의 길이

이름	수민	예준	보현	재현	은채
연필의 길이(cm)	10	15	10	11	14

(평균) = (10 + 15 + 10 + 11 + 14) ÷ 5 = 12

답 : 3명

① 어느 자동차 대리점의 월별 자동차 판매량을 나타낸 표입니다. 판매량이 평균보다 더 많이 팔린 월을 모두 써 보세요.

자동차 판매량

월	1월	2월	3월	4월	5월
판매량(대)	53	52	46	55	54

(평균)=(53+52+46+55+54)÷5=52 답 : 1월, 4월, 5월

② 미주의 과목별 점수를 나타낸 표입니다. 점수가 평균보다 높은 과목은 몇 개일까요?

과목별 점수

과목	국어	수학	사회	과학	영어	실과
점수(점)	85	87	84	88	86	92

(평균)=(85+87+84+88+86+92)÷6=87 답 : 2개

다음 물음에 답하세요.

○ 어느 공연단의 배우 6명의 나이의 합은 144세입니다. 공연단 배우 6명의 나이의 평균은 몇 세일까요?

144 ÷ 6 = 24

답 : 24세

① 준구네 모둠 학생 4명의 몸무게의 합은 172 kg입니다. 준구네 모둠 학생 5명의 몸무게의 평균은 몇 kg일까요?

172÷4=43

답 : 43 kg

② 색 테이프 5개의 길이의 평균이 27 cm입니다. 색 테이프 5개의 길이의 합은 몇 cm일까요?

27×5=135

답 : 135 cm

③ 정현이가 일주일 동안 매일 푼 수학 문제 수의 평균은 16개입니다. 정현이가 푼 수학 문제는 모두 몇 개일까요?

16×7=112

답 : 112개

P 52 ~ 53

3일 평균의 활용

평균을 이용하여 여러 가지 활용 문제를 풀어 보자.

🐚 다음 물음에 답하세요.

◇ 민지는 피아노 연습을 5일 동안 하루에 평균 40분씩 했습니다. 수요일에는 몇 분 동안 피아노 연습을 했을까요?

피아노 연습 시간

요일	월	화	수	목	금
시간(분)	35	30		50	45

(전체 시간) = 40 × 5 = 200 (분)

(수요일에 연습한 시간) = 200 - (35 + 30 + 50 + 45) = 40 (분)

답: 40분

① 어느 학교의 5학년 학급 학생 수를 나타낸 표입니다. 학급별 학생 수의 평균이 24명일 때 4반의 학생 수는 몇 명일까요?

5학년 학급 학생 수

학급	1반	2반	3반	4반
학생 수(명)	27	22	24	

(전체 학생 수)=24×4=96(명)
(4반 학생의 수)=96-(27+22+24)=23(명)

답: 23명

② 문재의 100m 달리기 기록을 나타낸 표입니다. 문재의 100m 달리기 기록의 평균이 16초일 때 문재의 4회의 기록은 몇 초인지 구해 보세요.

200m 달리기 기록

회	1회	2회	3회	4회	5회
시간(분)	15	17	17		14

(전체 시간)=16×5=80(초)
(4회 기록)=80-(15+17+17+14)=17(초)

답: 17초

🐚 다음 물음에 답하세요.

◇ 현중이는 일주일 동안 턱걸이를 77회 했고, 주호는 5일 동안 60회 했습니다. 하루 평균 턱걸이를 더 많이 한 사람은 누구일까요?

하루 평균 턱걸이 횟수는 현중이가 77 ÷ 7 = 11(회),
주호가 60 ÷ 5 = 12 (회)입니다.

답: 주호

① 재민이의 4과목 점수의 합은 356점이고, 효정이의 3과목 점수의 합은 273점입니다. 점수의 평균이 더 높은 사람은 누구일까요?

점수의 평균은 재민이가 356÷4=89(점),
효정이가 273÷3=91(점)입니다.

답: 효정

② 도현이네 모둠 6명의 줄넘기 기록의 합은 300번이고, 예진이네 모둠 5명의 줄넘기 기록의 합은 260번입니다. 줄넘기 기록의 평균이 더 좋은 모둠을 써 보세요.

줄넘기 기록의 평균은 도현이네 모둠이 300÷6=50(번), 예진이네 모둠이 260÷5=52(번)입니다.

답: 예진이네 모둠

③ 현지와 민서가 요일별로 책을 읽은 시간을 나타낸 표입니다. 하루에 책을 읽은 시간이 더 많은 사람은 누구일까요?

현지가 책을 읽은 시간

요일	월	화	수	목
시간(분)	33	34	32	29

민서가 책을 읽은 시간

요일	월	수	금
시간(분)	30	35	34

현지가 책을 읽은 시간의 합이
33+34+32+29=128(분)이므로
평균은 128÷4=32(분), 민서가 책을 읽은 시간의 합이
30+35+34=99(분)이므로 평균은 99÷3=33(분)입니다.

답: 민서

P 54 ~ 55

4일 가능성의 비교

어떠한 상황에서 특정한 일이 일어나길 기대할 수 있는 정도를 가능성이라고 해.

🐚 알맞은 말을 찾아 □ 안에 알맞게 써넣으세요.

| 불가능하다 | ~아닐 것 같다 | 반반이다 |
| ~일 것 같다 | 확실하다 | |

◇ 오늘이 화요일인데 내일이 수요일일 가능성은 ' 확실하다 '입니다.

① 동전을 던졌을 때 숫자 면이 나올 가능성은 ' 반반이다 '입니다.

② 반 학생 10명 중 서로 생일이 같은 사람이 있을 가능성은 ' 아닐 것 같다 ' 입니다.

③ 흰색 바둑돌만 들어 있는 상자에서 바둑돌 한 개를 꺼낼 때 검은색 바둑돌을 꺼낼 가능성은 ' 불가능하다 '입니다.

🐚 여러 가지 회전판을 보고 □ 안에 알맞은 기호를 써넣으세요.

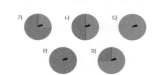

가 나 다
라 마

◇ 화살이 빨간색에 멈출 가능성이 확실한 회전판은 다 입니다.

① 화살이 빨간색에 멈출 가능성과 파란색에 멈출 가능성이 비슷한 회전판은 나 입니다.

② 가와 마 중 화살이 파란색에 멈출 가능성이 더 높은 회전판은 가 입니다.

③ 40번 돌렸을 때 일이 일어날 가능성이 다음 표와 가장 비슷한 회전판은 마 입니다.

색깔	빨강	파랑
횟수(회)	29	11

P 56 ~ 57

5일 가능성을 수로 나타내기

불가능하다 : 0
반반이다 : $\frac{1}{2}$
확실하다 : 1

✿ 다음이 일어날 가능성을 수로 표현해 보세요.

◎ 동전을 던지면 그림 면이 나올 것입니다.

답 : $\frac{1}{2}$

① 지금은 오후 2시이므로 1시간 후에는 4시가 될 것입니다.

답 : 0

② 은행에서 뽑은 대기 번호표의 번호가 홀수일 것입니다.

답 : $\frac{1}{2}$

③ 1부터 6까지의 눈이 그려진 주사위를 한 번 굴릴 때 주사위의 눈의 수가 6 이하인 수가 나올 것입니다.

답 : 1

④ 빨간 구슬만 2개 들어 있는 주머니에서 구슬 1개를 꺼냈을 때 노란색 구슬이 나올 것입니다.

답 : 0

✿ 다음 물음에 답하세요.

◎ 1부터 6까지의 눈이 그려진 주사위를 한 번 굴릴 때 주사위의 눈의 수가 홀수일 가능성을 수로 표현해 보세요.

1부터 6까지의 수 중에서 홀수는 1, 3, 5로 3개입니다.

답 : $\frac{1}{2}$

① 당첨 제비만 5개 들어 있는 제비뽑기 상자에서 제비 1개를 뽑을 때 당첨 제비일 가능성을 수로 표현해 보세요.

답 : 1

② 지갑 속에 1000원짜리 지폐 2장과 5000원짜리 지폐 2장이 있습니다. 지갑에서 지폐 한 장을 꺼낼 때 꺼낸 지폐가 5000원짜리일 가능성을 수로 표현해 보세요.

답 : $\frac{1}{2}$

③ 초록색 구슬 4개, 파란색 구슬 4개가 들어 있는 주머니에서 구슬 1개를 꺼낼 때 보라색 구슬을 꺼낼 가능성을 수로 표현해 보세요.

답 : 0

P 58 ~ 59

확인학습

✎ 알맞은 식을 쓰고 답을 구하세요.

① 어느 피자 가게의 4일 동안 피자 판매량을 나타낸 표입니다. 하루 동안 판매한 피자의 평균을 구하세요.

피자 판매량

요일	월	화	수	목
판매량(판)	27	34	23	36

식 : (27+34+23+36)÷4=30   답 : 30판

② 주현이네 가족의 몸무게를 나타낸 표입니다. 몸무게의 평균을 구해 보세요.

주현이네 가족의 몸무게

가족	아버지	어머니	오빠	주현	동생
몸무게(kg)	76	57	58	40	34

식 : (76+57+58+40+34)÷5=53   답 : 53 kg

✎ 다음 물음에 답하세요.

③ 동훈이의 과목별 점수를 나타낸 표입니다. 점수가 평균보다 낮은 과목은 몇 개일까요?

과목별 점수

과목	국어	수학	사회	과학	영어
점수(점)	95	87	93	89	86

(평균)=(95+87+93+89+86)÷5=90   답 : 3개

✎ 다음 물음에 답하세요.

④ 어느 아이돌 그룹의 멤버 6명의 나이의 합은 126세입니다. 멤버 6명의 나이의 평균은 몇 세일까요?

126÷6=21   답 : 21세

⑤ 리본 8개의 길이의 평균이 35 cm입니다. 리본 8개의 길이의 합은 몇 cm일까요?

35×8=280   답 : 280 cm

✎ 다음 물음에 답하세요.

⑥ 은성이는 축구 연습을 4일 동안 하루에 평균 45분씩 했습니다. 화요일에는 몇 분 동안 축구 연습을 했을까요?

축구 연습 시간

요일	월	화	수	목
시간(분)	50		45	35

(전체 시간)=45×4=180(분)
(화요일에 연습한 시간)=180-(50+45+35)=50(분)   답 : 50분

⑦ 별 관측 동아리 회원 5명의 나이의 평균이 12세입니다. 정효의 나이는 몇 세일까요?

별 관측 동아리 회원의 나이

이름	단비	세정	노현	이현	정효
나이(세)	12	11	10	13	

(나이의 합)=12×5=60(세)
(정효의 나이)=60-(12+11+10+13)=14(세)   답 : 14세

P 60

확인학습

◆ 알맞은 말을 찾아 □ 안에 알맞게 써넣으세요.

| 불가능하다 | ~아닐 것 같다 | 반반이다 |
| ~일 것 같다 | 확실하다 | |

⑧ 13명의 사람 중 서로 태어난 달이 같은 사람이 있을 가능성은 ' 확실하다 '
입니다.

⑨ 1부터 6까지의 눈이 그려진 주사위를 한 번 던져 나온 눈의 수가 7일 가능성은
' 불가능하다 '입니다.

◆ 다음 물음에 답하세요.

⑩ 1부터 6까지의 눈이 있는 주사위 1개를 던졌을 때 짝수의 눈이 나올 가능성을 수
로 표현해 보세요.

답 : $\dfrac{1}{2}$

⑪ 1부터 10까지 쓰여 있는 10장의 번호표에서 1장을 뽑을 때 10 이하의 수가 적힌
번호표를 뽑을 가능성을 수로 표현해 보세요.

답 : 1

P 62 ~ 63

1회차 진단평가

	월 일
제한 시간	15분
맞은 개수	/ 9개

✎ 다음 그림을 보고 물음에 답하세요.

① 세발자전거가 8대일 때 바퀴의 수는 몇 개일까요?

답 : **24개**

② 바퀴가 39개일 때 세발자전거의 수는 몇 대일까요?

답 : **13대**

③ 세발자전거의 수와 바퀴의 수 사이의 대응 관계를 써 보세요.

답 : **바퀴의 수는 세발자전거의 수의 3배입니다.**

✎ 다음 물음에 답하세요.

④ 세 자리 자연수 중에서 103 이하인 수를 모두 구하세요.

답 : **100, 101, 102, 103**

⑤ 십의 자리 숫자가 4인 두 자리 수 중에서 45 이상인 홀수를 모두 구하세요.

답 : **45, 47, 49**

✎ 다음 물음에 답하세요.

⑥ 반올림하여 십의 자리까지 나타내면 50이 되는 자연수 중에서 가장 큰 수와 가장 작은 수를 써 보세요.

가장 큰 수 : **54** 가장 작은 수 : **45**

⑦ 반올림하여 백의 자리까지 나타내면 4000이 되는 자연수 중에서 가장 큰 수와 가장 작은 수를 써 보세요.

가장 큰 수 : **4049** 가장 작은 수 : **3950**

✎ 여러 가지 회전판을 보고 □ 안에 알맞은 기호를 써넣으세요.

가 나 다 라

⑧ 화살이 노란색에 멈출 가능성이 불가능한 회전판은 **다** 입니다.

⑨ 50번 돌렸을 때 일이 일어날 가능성이 다음 표와 가장 비슷한 회전판은 **나** 입니다.

색깔	노랑	초록
횟수(회)	24	26

P 64 ~ 65

2회차 진단평가

	월 일
제한 시간	15분
맞은 개수	/ 8개

✎ 다음 그림을 보고 물음에 답하세요.

① 사각형의 수와 삼각형의 수가 어떻게 변하는지 표를 이용하여 알아보세요.

사각형의 수(개)	1	2	3	4	......
삼각형의 수(개)	4	8	12	16	......

② 사각형의 수와 삼각형의 수 사이의 대응 관계를 써 보세요.

답 : **삼각형의 수는 사각형의 수의 4배입니다.**

✎ 다음 물음에 답하세요.

③ 십의 자리 숫자가 1인 두 자리 수 중에서 14 초과인 수를 모두 구하세요.

답 : **15, 16, 17, 18, 19**

④ 십의 자리 숫자가 6인 두 자리 수 중에서 64 미만인 짝수를 모두 구하세요.

답 : **60, 62**

✎ 다음 물음에 답하세요.

⑤ 올림하여 십의 자리까지 나타내면 720이 되는 자연수 중에서 가장 큰 수와 가장 작은 수를 써 보세요.

가장 큰 수 : **720** 가장 작은 수 : **711**

⑥ 올림하여 십의 자리까지 나타내면 200이 되는 자연수 중에서 가장 큰 수와 가장 작은 수를 써 보세요.

가장 큰 수 : **200** 가장 작은 수 : **191**

✎ 알맞은 식을 쓰고 답을 구하세요.

⑦ 정모네 모둠의 줄넘기 기록을 나타낸 표입니다. 줄넘기 기록의 평균을 구하세요.

정모네 모둠의 줄넘기 기록

이름	정모	은혁	명수	종민
횟수(개)	42	74	53	55

식 : **(42+74+53+55)÷4=56** 답 : **56개**

⑧ 주희네 모둠의 국어 점수를 나타낸 표입니다. 국어 점수의 평균을 구하세요.

주희네 모둠의 국어 점수

이름	주희	고은	지혜	설현	현중
점수(점)	86	95	89	94	96

식 : **(86+95+89+94+96)÷5=92** 답 : **92점**

P 66 ~ 67

제한 시간	15분
맞은 개수	/ 8개

🖊 다음 물음에 답하세요.

① 거미의 다리는 8개입니다. 거미의 수를 △, 거미 다리의 수를 ◎라고 할 때, 두 양 사이의 대응 관계를 기호를 사용하여 식으로 나타내세요.

식 : **△×8=◎ 또는 ◎÷8=△**

② 2023년에 유정이의 나이는 12살입니다. 연도를 ○, 유정이의 나이를 □라고 할 때, 두 양 사이의 대응 관계를 기호를 사용하여 식으로 나타내세요.

식 : **□+2011=○ 또는 ○−2011=□**

🖊 다음 물음에 답하세요.

③ 어느 도시의 하루 동안의 최저 기온을 나타낸 표입니다. 최저 기온이 8.5 ℃ 이하인 날의 최저 기온을 모두 써 보세요.

최저 기온

날짜	1일	2일	3일	4일	5일	6일
최저 기온(℃)	9	8.5	8.4	8.9	8.6	7.2

답 : **8.5 ℃, 8.4 ℃, 7.2 ℃**

④ 어느 다리는 무게가 20 t을 초과하는 화물차는 지나갈 수 없습니다. 다리를 지나갈 수 없는 화물차를 모두 써 보세요.

화물차의 무게

화물차	가	나	다	라
무게(t)	23	19	20	21

답 : **가, 라**

🖊 다음 물음에 답하세요.

⑤ 버림하여 십의 자리까지 나타내면 80이 되는 자연수 중에서 가장 큰 수와 가장 작은 수를 써 보세요.

가장 큰 수 : **89**　　가장 작은 수 : **80**

⑥ 버림하여 백의 자리까지 나타내면 8000이 되는 자연수 중에서 가장 큰 수와 가장 작은 수를 써 보세요.

가장 큰 수 : **8099**　　가장 작은 수 : **8000**

🖊 다음 물음에 답하세요.

⑦ 정훈이네 모둠 학생 5명의 키의 합은 770 cm입니다. 정훈이네 모둠 학생 5명의 키의 평균은 몇 cm일까요?

770÷5=154

답 : **154 cm**

⑧ 윤주가 12일 동안 매일 외운 영어 단어 수의 평균은 17개입니다. 윤주가 외운 영어 단어는 모두 몇 개일까요?

12×17=204

답 : **204개**

P 68 ~ 69

제한 시간	15분
맞은 개수	/ 8개

🖊 다음 그림을 보고 물음에 답하세요.

① 삼각형의 수를 △, 사각형의 수를 □라고 할 때, 두 양 사이의 대응 관계를 식으로 나타내어 보세요.

식 : **△×2=□ 또는 □÷2=△**

② 삼각형이 14개일 때 필요한 사각형의 수는 몇 개일까요?

28개

③ 사각형이 18개일 때 필요한 삼각형의 수는 몇 개일까요?

9개

🖊 해준이네 반 학생의 여러 가지 체력을 조사하여 나타낸 표입니다. 표를 완성해 보세요.

④

오래달리기

이름	기록(초)
해준	324
종현	409
희수	325
윤호	411

➡

기록(초)	이름
409 초과	**윤호**
324 초과 409 이하	**종현, 희수**
281 초과 324 이하	**해준**
281 이하	

🖊 다음 물음에 답하세요.

⑤ 어느 장난감 공장에서 한 달 동안 인형을 52716개 생산하였습니다. 한 달 동안 생산한 인형의 수를 버림하여 천의 자리까지 나타내어 보세요.

답 : **52000개**

⑥ 어느 도시의 인구 수는 749052명입니다. 인구 수를 반올림하여 만의 자리까지 나타내어 보세요.

답 : **750000명**

🖊 다음 물음에 답하세요.

⑦ 100원짜리 동전만 3개 들어 있는 주머니에서 동전 1개를 꺼낼 때 500원 동전일 가능성을 수로 표현해 보세요.

답 : **0**

⑧ 빨간색 구슬 3개, 검은색 구슬 3개가 들어 있는 주머니에서 구슬 1개를 꺼낼 때 검은색 구슬을 꺼낼 가능성을 수로 표현해 보세요.

답 : $\dfrac{1}{2}$

진단평가

5회차 진단평가

제한 시간 15분
맞은 개수 / 8개

월 일

✎ 대응 관계를 식으로 나타낸 후 답을 구하세요.

① 수지네 수도꼭지에서 1분에 12 L의 물이 나옵니다. 7분 동안 나온 물의 양은 몇 L일까요?

식 : (물이 나온 시간)×12=(나온 물의 양)   답 : **84 L**

② 서울의 시각은 영국의 런던 시각보다 9시간 빠릅니다. 런던의 시각이 4월 8일 오전 10시일 때, 서울의 시각은 몇 월 며칠 몇 시일까요?

식 : (런던의 시각)+9=(서울의 시각)   답 : **4월 8일 오후 7시**

✎ 다음 물음에 답하세요.

③ 준섭이네 반 학생들에게 젤리를 한 개씩 나누어 주려면 한 봉지에 12개씩 묶어 있는 젤리를 3봉지 사야 합니다. 준섭이네 반 학생은 몇 명 이상 몇 명 이하일까요?

답 : **25명 이상 36명 이하**

④ 현희네 학교 5학년 학생들이 수영장에 가려면 정원이 45명인 버스가 4대 필요하다고 합니다. 현희네 학교 5학년 학생은 몇 명 초과 몇 명 이하일까요?

답 : **135명 초과 180명 이하**

✎ 다음 물음에 답하세요.

⑤ 정민이는 옷가게에서 24100원짜리 티셔츠를 한 장 샀습니다. 1000원짜리 지폐로만 티셔츠 값을 낸다면 최소 얼마를 내야 할까요?

답 : **25000원**

⑥ 무진이는 도화지 1692장을 한 상자에 100장씩 담아서 정리하려고 합니다. 100장씩 상자에 담을 수 있는 도화지는 몇 장일까요?

답 : **1600장**

✎ 다음 물음에 답하세요.

⑦ 효철이는 일주일 동안 팔굽혀펴기를 105회 했고, 민혁이는 10일 동안 160회 했습니다. 하루 평균 팔굽혀펴기를 더 많이 한 사람은 누구일까요?

하루 평균 팔굽혀펴기 횟수는 효철이가   답 : **민혁**
105÷7=15(회), 민혁이가 160÷10=16(회)입니다.

⑧ 준구와 민주가 요일별로 줄넘기 한 것을 나타낸 표입니다. 하루에 줄넘기를 더 많이 한 사람은 누구일까요?

준구가 줄넘기를 한 횟수

요일	월	화	수	목
횟수(개)	76	65	72	79

민주가 줄넘기를 한 횟수

요일	월	수	금
횟수(개)	64	69	80

준구가 줄넘기를 한 횟수의 합이
76+65+72+79=92(개)이므로   답 : **준구**
평균은 292÷4=73(개), 민주가 줄넘기를
한 횟수의 합이 64+69+80=213(개)이므로
평균은 213÷3=71(개)입니다.

"

The essence of mathematics
is its freedom.

"

"수학의 본질은 그 자유로움에 있다."

Georg Cantor, 게오르크 칸토어